개념엔 유형학습

중학수학 1·2

도움 주신 분들

1판 10쇄 2024년 8월 14일
펴낸곳 메가스터디(주)
펴낸이 손은진
디자인 이정숙, 윤인아
제작 신심철
주소 서울시 서초구 효령로 304(서초동) 국제전자센터 24층
대표전화 1661.5431
홈페이지 http://www.megastudybooks.com
출판사 신고 번호 제 2015-000159호

메가스터디BOOKS

'메가스터디북스'는 메가스터디㈜의 교육, 학습 전문 출판 브랜드입니다. 초중고 참고서는 물론, 어린이/청소년 교양서, 성인 학습서까지 다양한 도서를 출간하고 있습니다.

머리말

"어떤 문제집이 좋아요?"

제자들을 가르치면서 가장 많이 받게 되는 질문 중에 하나입니다.
그런 질문을 들으며 이런 고민을 하게 되었습니다.
"좋은 문제집을 추천해 주는 것도 좋겠지만 세상의 어떤 문제라고 다 풀 수 있게 해 주면 좋을 텐데…"
그런 마음으로 「유형 학습」이라는 문제집을 준비하게 되었습니다.

수학 문제의 출제의도를 정확히 파악할 수 있다면 더 폭넓게 이해하고 응용할 수 있을 것이라는 믿음이 있었기 때문입니다.

그래서 선생님은 우리 제자들이 개념을 재미있고 확실하게 이해하고, 그 개념이 문제에 어떻게 적용되는지 정확히 해석할 수 있도록, 나아가 다양한 소재의 문제풀이를 통해 실생활 문제나 수능형 문제에도 잘 적용할 수 있도록 만들어 주고 싶습니다.

- ⊘ 개념이 확실히 머릿속에 잡히고 그 생각들이 움직여 잘 적용될 수 있도록
- ⊘ 수학에 대한 흥미를 잃지 않고 문제 해결의 재미를 느낄 수 있도록
- ⊘ 편리하고 효율적으로 학습할 수 있도록
- ⊘ 단순히 학문에만 그치지 않고 실생활에 활용할 수 있도록

「유형 학습」은 문제를 유형화하고, 보다 어려운 문제로 한번 더 반복하고, 그리고 마지막에 스스로 풀어 보면서 자신의 것으로 만들 수 있도록 구성했습니다.
또한, 심화–서술형 문제, 실생활 문제에 대한 적응력을 기를 수 있는 코너와 스스로 자신의 실력을 도전을 통해 흥미롭게 점검할 수 있는 코너까지 준비해 다양한 방법으로 재미있게 학습할 수 있도록 꾸몄습니다.

그동안 이 책이 나올 수 있도록 노력해 주신 모든 분들께 감사드리며, 그 노력이 우리 제자들의 꿈을 이루는데 조금이나마 보탬이 되기를 진심으로 바랍니다.

선생님 추천 학습법

① **내가 이해한 개념을 직접 설명해 보자.**
개념 부분은 혼자서 해결할 수 없는 것이 많기 때문에 수업을 통해서 확실히 이해할 필요가 있다. 혼자서 학습하면 10시간이 걸리는 내용도 수업을 통해서는 1시간만에도 이해할 수 있기 때문이다. 하지만 가장 중요한 것은 내가 이해한 내용을 다른 사람에게 설명할 수 있을 만큼 집중력 있게 학습해야 한다.

② **어려운 문제는 20분간 고민해 보자.**
나의 수준보다 조금 더 어려운 문제에 도전하면서 스스로 부족한 면을 정확히 파악하고, 고난이도 문제에 적용할 수 있어야 내 실력을 끌어올릴 수 있다. 하지만 어려운 문제를 오래 고민하다 보면 자칫 수학에 대한 흥미를 잃거나 시간을 낭비하게 될 수 있으므로 20분간만 고민한다.

구성과 특징

1 단원별 개념 정리

각 단원별로 꼭 알아야 할 필수 개념을 한 번에 확인할
수 있도록 구성

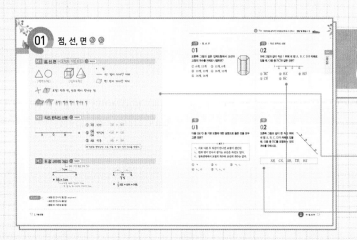

2 주제별 유형 학습

개념을 유형에 적용할 수 있도록 구성

- 주제별 개념 정리: 선생님만의 개념 설명 노하우를 담아
  선생님이 직접 쓴 핵심 개념 노트
- 유형(有形)문제: 문제의 출제 의도를 정확히 이해할 수 있는 유형 문제
- 학(學)문제: 개념의 응용과 파생된 유형을 파악할 수 있는 문제

이 책을 공부하는 법

본문의 학습 방법

① 선생님 강의를 들으면서 개념 노트를 이해한다.

② 출제의도를 파악하면서 유형(有形) 문제를 푼다.

③ 학(學) 문제를 통해 해당 유형을 다시 한번 익힌다.

④ 단원 종합 문제를 풀면서 해당 단원을 확실히 이해했는지 점검한다.

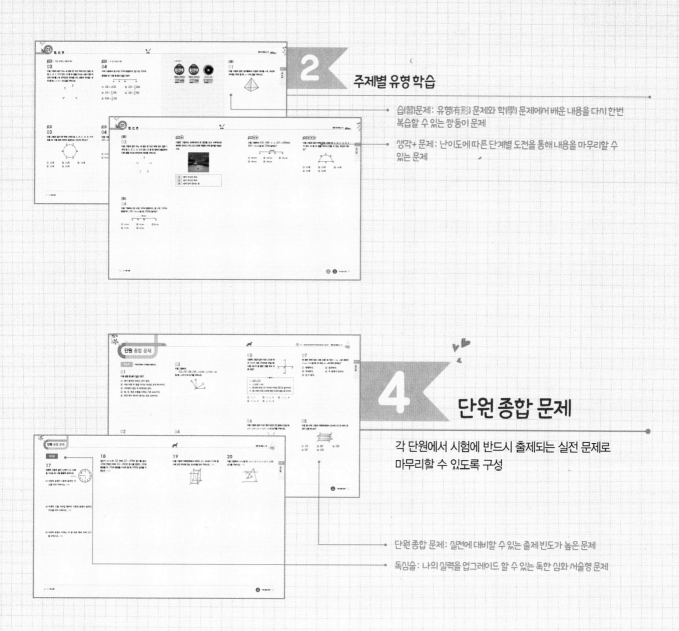

2 주제별 유형학습

습(習)문제: 유형(有形) 문제와 학(學) 문제에서 배운 내용을 다시 한번 복습할 수 있는 쌍둥이 문제

생각+ 문제: 난이도에 따른 단계별 도전을 통해 내용을 마무리할 수 있는 문제

4 단원 종합 문제

각 단원에서 시험에 반드시 출제되는 실전 문제로 마무리할 수 있도록 구성

단원종합 문제: 실전에 대비할 수 있는 출제 빈도가 높은 문제

독심술: 나의 실력을 업그레이드 할 수 있는 독한 심화 서술형 문제

① 개념 노트를 다시 한번 읽고, 나만의 개념 정리 노트를 만든다.

② 강의를 들으면서 이해되지 않았던 문제들을 다시 한번 풀어 본다.

③ X 표시한 유형을 다시 한번 풀어 본다.

복습 방법

차례

I

기본 도형

☑ 학습 계획 및 성취도 체크

· 유형 이해도에 따라 ☐ 안에 O, △, X를 표시합니다.

· 시험 전에 X 표시한 유형은 반드시 한 번 더 풀어 봅니다.

I 기본 도형

1 기본 도형

1. 도형

(1) **도형의 기본 요소**: 점, 선, 면을 도형을 이루는 기본 요소라 한다.

> 참고 점이 움직인 자리는 선이 되고, 선이 움직인 자리는 면이 된다.

(2) **교점과 교선**

① 교점: 선과 선, 선과 면이 만나서 생기는 점

② 교선: 면과 면이 만나서 생기는 선

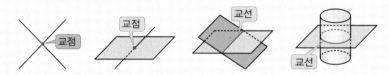

2. 직선, 반직선, 선분

(1) 직선 AB($\overleftrightarrow{AB}$): 서로 다른 두 점 A, B를 지나는 직선

(2) 반직선 AB($\overrightarrow{AB}$): 직선 AB 위의 한 점 A에서 시작하여 점 B의 방향으로 한없이 뻗어 나가는 선

(3) 선분 AB($\overline{AB}$): 직선 AB 위의 두 점 A, B를 포함하여 점 A에서 점 B까지의 부분

3. 두 점 사이의 거리

(1) **두 점 A, B 사이의 거리**

두 점 A, B를 잇는 선 중에서 가장 짧은 것은 선분 AB이고, 이때 선분 AB의 길이를 두 점 A, B 사이의 거리라 한다.

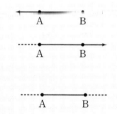
두 점 A, B 사이의 거리

(2) **선분 AB의 중점**

선분 AB의 중점

선분 AB 위에 있는 점으로 선분 AB의 길이를 이등분하는 점 M

➡ $\overline{AM}=\overline{BM}=\dfrac{1}{2}\overline{AB}$

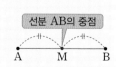

2 각

1. 각

(1) **각 AOB**: 한 점 O에서 시작하는 두 반직선 OA, OB로 이루어진 도형을 각 AOB라 하고, 기호로 $\angle AOB$, $\angle BOA$, $\angle O$, $\angle a$와 같이 나타낸다.

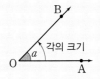

(2) **각의 크기**: $\angle AOB$에서 꼭짓점 O를 중심으로 $\overrightarrow{OA}$가 $\overrightarrow{OB}$까지 회전한 양을 $\angle AOB$의 크기라 한다.

(3) **각의 분류**

① 평각: 각의 두 변이 꼭짓점을 중심으로 한 직선을 이루는 각, 즉 크기가 $180°$인 각

② 직각: 평각의 크기의 $\dfrac{1}{2}$인 각, 즉 크기가 $90°$인 각

③ 예각: $0°$보다 크고 $90°$보다 작은 각

④ 둔각: $90°$보다 크고 $180°$보다 작은 각

2. 맞꼭지각

(1) **맞꼭지각**: 서로 다른 두 직선이 한 점에서 만날 때, 서로 마주보는 각

➡ $\angle a$와 $\angle c$, $\angle b$와 $\angle d$

(2) **맞꼭지각의 성질**: 맞꼭지각의 크기는 서로 같다.

➡ $\angle a = \angle c$, $\angle b = \angle d$

3. 수직과 수선

(1) **직교**: 두 직선 AB와 CD의 교각이 직각일 때, 두 직선은 직교한다고 하고 기호로 $\overleftrightarrow{AB} \perp \overleftrightarrow{CD}$와 같이 나타낸다.

(2) **수직**: 직교하는 두 직선은 서로 수직이다.

(3) **수선**: 두 직선이 직교할 때, 한 직선을 다른 직선의 수선이라 한다.

(4) **수선의 발**: 직선 l 위에 있지 않은 점 P에서 직선 l에 수선을 그어 생기는 교점 H를 수선의 발이라 한다.

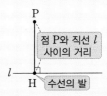

(5) **점과 직선 사이의 거리**: 직선 l 위에 있지 않은 한 점 P에서 직선 l에 내린 수선의 발 H까지의 거리($\overline{PH}$)

I 기본 도형

3 점, 직선, 평면의 위치 관계

1. 점과 직선, 점과 평면의 위치 관계

(1) 점과 직선의 위치 관계

① 점 A는 직선 l 위에 있다.

② 점 B는 직선 l 위에 있지 않다.(직선 l 밖에 있다.)

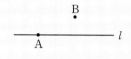

(2) 점과 평면의 위치 관계

① 점 A는 평면 P 위에 있다.

② 점 B는 평면 P 위에 있지 않다.(평면 P 밖에 있다.)

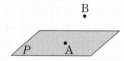

2. 두 직선의 위치 관계

(1) 평면에서 두 직선의 위치 관계: 평면에서 두 직선 l, m의 위치 관계는 다음과 같다.

① 한 점에서 만난다.　　　　② 평행하다.($l /\!/ m$)　　　　③ 일치한다.

(2) 공간에서 두 직선의 위치 관계: 공간에서 서로 다른 두 직선 l, m의 위치 관계는 다음과 같다.

① 한 점에서 만난다.　　② 평행하다.($l /\!/ m$)　　③ 일치한다.　　④ 꼬인 위치에 있다.

3. 직선과 평면의 위치 관계

(1) 공간에서 직선과 평면의 위치 관계: 평면 P와 직선 l의 위치 관계는 다음과 같다.

① 포함된다.　　　　② 한 점에서 만난다.　　　　③ 평행하다.($l /\!/ P$)

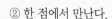

(2) **직선과 평면의 수직**: 직선 l이 평면 P와 한 점 O에서 만나고 직선 l이 점 O를 지나는 평면 위의 모든 직선과 수직일 때, 직선 l과 평면 P는 수직이라 하고, 기호로 $l \perp P$와 같이 나타낸다.

4. 두 평면의 위치 관계

두 평면 P, Q의 위치 관계는 다음과 같다.

① 한 직선에서 만난다.   ② 평행하다. ($P /\!/ Q$)   ③ 일치한다.

4 평행선의 성질

1. 동위각과 엇각: 두 직선 l, m이 다른 한 직선 n과 만나서 생기는 각 중에서

(1) **동위각**: 서로 같은 위치에 있는 각

  ➡ $\angle a$와 $\angle e$, $\angle b$와 $\angle f$, $\angle c$와 $\angle g$, $\angle d$와 $\angle h$

(2) **엇각**: 서로 엇갈린 위치에 있는 각

  ➡ $\angle b$와 $\angle h$, $\angle c$와 $\angle e$ (2쌍)

  주의 $\angle a$와 $\angle g$, $\angle d$와 $\angle f$는 엇각이 아니다.

2. 평행선

(1) **평행선의 성질**: 평행한 두 직선이 다른 한 직선과 만날 때,

  ① 동위각의 크기는 서로 같다. ➡ $l /\!/ m$이면 $\angle a = \angle b$

  ② 엇각의 크기는 서로 같다. ➡ $l /\!/ m$이면 $\angle c = \angle d$

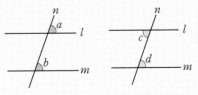

(2) **두 직선이 서로 평행하기 위한 조건**

  서로 다른 두 직선이 다른 한 직선과 만날 때,

  ① 동위각의 크기가 같으면 두 직선은 서로 평행하다. ➡ $\angle a = \angle b$이면 $l /\!/ m$

  ② 엇각의 크기가 같으면 두 직선은 서로 평행하다. ➡ $\angle c = \angle d$이면 $l /\!/ m$

01 점, 선, 면

Mstory1 Mstory2

M1 점, 선, 면 ⊗ 개념강의

• 점 ——— 선 ▱ 면

도형의 기본 요소(무정의 용어)

    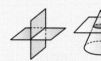

직선   곡선   평면   곡면

[평면도형]　　　　[입체도형]　　　　[교점]　　　　　　[교선]

(꼭지점의 개수)　　　(모서리의 개수)

M2 직선, 반직선, 선분 ⊗ 개념강의

• 서로 다른 두 점: 직선의 결정 조건

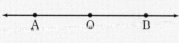

• 직선 $\overrightarrow{AB}=\overleftarrow{BA}=\overleftrightarrow{AO}$

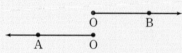

• 반직선 $\overrightarrow{OB}$　$\overrightarrow{AB}\neq\overrightarrow{BA}$

$\overrightarrow{OA}$　$\overrightarrow{AB}=\overrightarrow{AO}$

A ———————————— B

• 선분 $\overline{AB}=\overline{BA}$

M3 두 점 사이의 거리 ⊗ 개념강의

선분의 길이

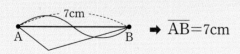

➡ $\overline{AB}=7\text{cm}$

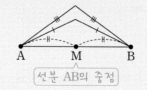

➡ $\overline{AM}=\overline{BM}=\dfrac{1}{2}\overline{AB}$

선분 AB의 중점

용어사전

• 교점(交 만나다, 點 점) exponent
• 교선(交 만나다, 線 실)
• 중점(中 가운데, 點 점)

유형 | 점, 선, 면

01

오른쪽 그림과 같은 입체도형에서 교선과 교점의 개수를 차례로 나열하면?

① 6개, 12개   ② 12개, 6개

③ 12개, 12개   ④ 18개, 12개

⑤ 18개, 18개

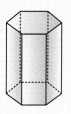

유형 | 직선, 반직선, 선분

02

아래 그림과 같이 직선 l 위에 네 점 A, B, C D가 차례로 있을 때, 다음 중 $\overrightarrow{BC}$와 같은 것은?

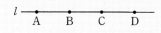

① $\overrightarrow{BC}$ ② $\overrightarrow{BA}$ ③ $\overrightarrow{BD}$

④ $\overrightarrow{CB}$ ⑤ $\overline{BC}$

01

다음 〈보기〉 중 기본 도형에 대한 설명으로 옳은 것을 모두 고른 것은?

─────〈 보기 〉─────

ㄱ. 서로 다른 두 직선이 만나면 교점이 생긴다.

ㄴ. 면과 면이 만나서 생기는 교선은 곡선도 있다.

ㄷ. 정육면체에서 교점의 개수와 교선의 개수는 같다.

① ㄱ   ② ㄷ   ③ ㄱ, ㄴ

④ ㄴ, ㄷ   ⑤ ㄱ, ㄴ, ㄷ

02

오른쪽 그림가 같이 한 직선 위에 네 점 A, B, C, D가 차례로 있을 때, 다음 중 $\overline{BC}$를 포함하는 것의 개수를 구하시오.

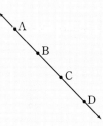

$\overrightarrow{AB}$, $\overrightarrow{CA}$, $\overrightarrow{AB}$, $\overrightarrow{CD}$, $\overrightarrow{BA}$

유형 | 직선, 반직선, 선분의 개수

03

다음 그림과 같이 어느 세 점도 한 직선 위에 있지 않은 네 점 A, B, C, D가 있다. 이 중 두 점을 지나는 서로 다른 직선의 개수를 a개, 반직선의 개수를 b개, 선분의 개수를 c개라 할 때, $a+b+c$의 값을 구하시오.

D
A

B   C

유형 | 두 점 사이의 거리

04

아래 그림에서 점 M은 $\overline{AB}$의 중점이고, 점 N은 $\overline{AM}$의 중점일 때, 다음 중 옳지 <u>않은</u> 것은?

A   N   M   B

① $\overline{AB}=2\overline{AM}$ ② $\overline{AN}=\dfrac{1}{2}\overline{MB}$

③ $\overline{AN}=\dfrac{1}{3}\overline{NB}$ ④ $\overline{AB}=\dfrac{4}{3}\overline{NB}$

⑤ $\overline{NM}=\dfrac{1}{3}\overline{AB}$

學

03

다음 그림과 같이 원 위에 6개의 점 A, B, C, D, E, F가 있을 때, 이들 점에 의하여 결정되는 직선의 개수는?

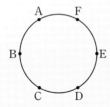

① 12개   ② 13개   ③ 14개
④ 15개   ⑤ 16개

學

04

다음 그림에서 $\overline{AB}:\overline{BD}=2:3$, $\overline{AC}:\overline{CD}=5:4$이고 $\overline{AD}=45\,cm$일 때, $\overline{BC}$의 길이는?

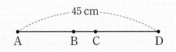

① 5 cm   ② 6 cm   ③ 7 cm
④ 8 cm   ⑤ 9 cm

Tip : 페이지 번호를 클릭하면 스마트매쓰⁺를 이용하실 수 있어요!

라디오 수타
라디오 방송 형식으로
배운 내용을 재미있게
수확타파하는 코너

01
다음 그림과 같은 삼각뿔에서 교점의 개수를 a개, 교선의 개수를 b개라 할 때, $a+b$의 값을 구하시오.

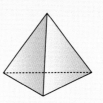

02
아래 그림과 같이 직선 l 위에 세 점 A, B, C가 있다. 다음 중 $\overrightarrow{AB}$에 포함되는 것이 <u>아닌</u> 것을 모두 고르면?

(정답 2개)

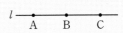

① $\overrightarrow{AC}$ ② $\overrightarrow{BA}$ ③ $\overrightarrow{BC}$
④ $\overline{AC}$ ⑤ $\overleftarrow{BC}$

03

다음 그림과 같이 어느 세 점도 한 직선 위에 있지 않은 5개의 점 A, B, C, D, E가 있다. 이 중 한 점에서 출발하여 다른 점을 지나는 반직선의 개수를 구하시오.

A·

B·   ·E

C·   ·D

04

다음 그림에서 점 M은 $\overline{AB}$의 중점이고, 점 N은 $\overline{AM}$의 중점이다. $\overline{AB}=20\,cm$일 때, $\overline{NM}$의 길이는?

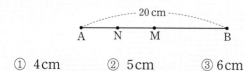

① 4 cm   ② 5 cm   ③ 6 cm
④ 7 cm   ⑤ 8 cm

생각➕

다음은 그림자쇼 모래아트의 한 장면을 보고 수학적으로 해석한 것이다. (가), (나), (다)에 적합한 수학 용어를 써넣으시오.

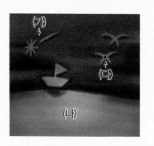

| (가) : 점이 지나간 자리 |
| (나) : 선이 지나간 자리 |
| (다) : 선과 선이 만나는 점 |

다음 그림에서 $\overline{AM} : \overline{MB} = 3 : 4$, $\overline{AN} = 2\overline{NB}$이다. $\overline{MN} = 10\,cm$일 때, $\overline{AB}$의 길이는?

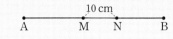

① 40 cm   ② 42 cm   ③ 44 cm
④ 46 cm   ⑤ 48 cm

다음 그림과 같이 반원 위에 6개의 점 A, B, C, D, E, F 가 있다. 이 중 두 점을 이어서 만들 수 있는 직선의 개수 는?

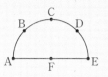

① 12개   ② 13개   ③ 14개
④ 15개   ⑤ 16개

02 각

Mstory1 Mstory2

M1 각 ⊙ 개념강의

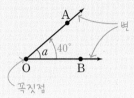

∠AOB   ∠BOA

∠O   ∠a

∠a=40°
~~각의 크기~~

∠R
↓
90°

0° < (예각) < (직각) < (둔각) < (평각)
180°

M2 맞꼭지각 ⊙ 개념강의

∠a=∠c

∠b=∠d

• 맞꼭지각의 크기는 서로 같다.

┌─────────────────────────────┐
│   탈레스의 증명   │
│   │
│ ∠a+∠b=180°┐   │
│ ∠b+∠c=180°┘∠a+∠b=∠b+∠c │
│   │
│   ∴ ∠a=∠c   │
└─────────────────────────────┘

M3 수직과 수선 ⊙ 개념강의

• $\overleftrightarrow{AB} \perp \overleftrightarrow{CD}$

• 수직이다/직교한다

• $\overleftrightarrow{AB}$는 $\overleftrightarrow{CD}$의 수선이다.

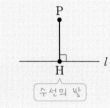

➡ (점 P와 직선 l 사이의 거리)
  =(선분 PH의 길이)

수선의 발

용어사전 ⊙ • **직교**(直 곧다, 交 만나다) orthogonal

| 각의 크기 구하기

05

다음 그림에서 ∠x의 크기는?

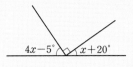

① 10°　　　② 15°　　　③ 20°

④ 25°　　　⑤ 30°

 | 맞꼭지각

06

다음 그림에서 ∠y − ∠x의 크기는?

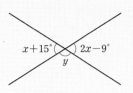

① 108°　　　② 111°　　　③ 114°

④ 117°　　　⑤ 120°

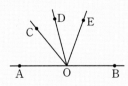

05

다음 그림에서

∠AOC＝2∠COD, ∠BOE＝2∠DOE

일 때, ∠COE의 크기는?

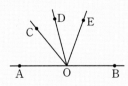

① 30°　　　② 45°　　　③ 60°

④ 75°　　　⑤ 90°

06

다음 그림에서 ∠x, ∠y의 크기를 각각 구하시오.

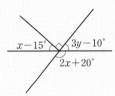

유형 | 맞꼭지각의 쌍의 개수

07

다음 그림과 같이 세 직선이 한 점에서 만날 때 생기는 맞꼭지각은 모두 몇 쌍인가?

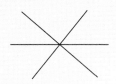

① 3쌍 ② 4쌍 ③ 5쌍
④ 6쌍 ⑤ 7쌍

07

다음 그림과 같이 7개의 직선이 한 점에서 만날 때 생기는 맞꼭지각은 모두 몇 쌍인지 구하시오.

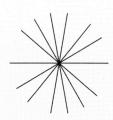

유형 | 수직과 수선

08

다음 그림에서 점 A와 $\overline{CD}$ 사이의 거리를 x cm, 점 D와 $\overline{BC}$ 사이의 거리를 y cm라 할 때, $x+y$의 값을 구하시오.

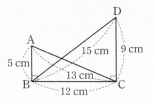

08

다음 그림과 같은 사다리꼴 ABCD에 대한 설명 중 옳지 않은 것은?

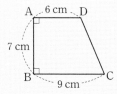

① $\overline{AB} \perp \overline{BC}$
② $\overline{AD}$는 $\overline{AB}$의 수선이다.
③ 점 C와 $\overline{AB}$ 사이의 거리는 9 cm이다.
④ 점 D와 $\overline{BC}$ 사이의 거리는 7 cm이다.
⑤ 점 C에서 $\overleftrightarrow{AD}$에 내린 수선의 발은 점 D이다.

+MEMO

라디오 수타
라디오 방송 형식으로
배운 내용을 재미있게
수학타파하는 코너

05

다음 그림에서 $\angle x : \angle y : \angle z = 2 : 3 : 5$일 때, $\angle y$의 크기는?

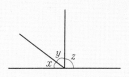

① 52°   ② 54°   ③ 56°

④ 58°   ⑤ 60°

06

다음 그림에서 $\angle a$의 크기를 구하시오.

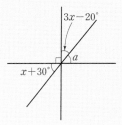

07

다음 그림과 같이 한 평면 위에 3개의 직선이 있을 때 생기는 맞꼭지각은 모두 몇 쌍인지 구하시오.

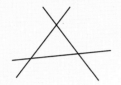

08

다음 그림과 같은 삼각형 ABC에 대한 설명 중 옳지 <u>않은</u> 것은?

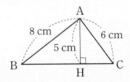

① 두 점 A와 B 사이의 거리는 8 cm이다.

② $\overline{AH} \perp \overline{BC}$이다.

③ $\overline{BC}$는 $\overline{AH}$의 수선이다.

④ 점 A와 $\overline{BC}$ 사이의 거리는 6 cm이다.

⑤ 점 A에서 $\overline{BC}$에 내린 수선의 발은 점 H이다.

생각+

다음 그림에서
$$\angle COD = \angle DOE,\ \angle EOF = \angle FOB$$
이고 $\angle AOC = 70°$일 때, $\angle DOF$의 크기를 구하시오.

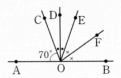

〈반사의 법칙〉

빛이 거울에 반사될 때, 입사각의 크기와 반사각의 크기는 같다.

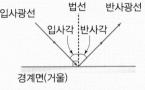

위의 〈반사의 법칙〉을 당구 게임에 적용하여 아래 그림의 노란 공 A가 점 P를 맞히고 빨간 공 B를 맞히게 하려고 한다. 다음 중 가능한 $\angle x$, $\angle y$의 크기는?

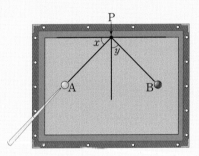

① $\angle x = 30°$, $\angle y = 30°$

② $\angle x = 40°$, $\angle y = 50°$

③ $\angle x = 50°$, $\angle y = 50°$

④ $\angle x = 35°$, $\angle y = 65°$

⑤ $\angle x = 65°$, $\angle y = 45°$

오후 3시와 4시 사이에 시침과 분침이 서로 반대 방향으로 평각을 이루고 있다. 이때부터 처음으로 시침과 분침이 이루는 각의 크기가 직각이 될 때까지의 시간을 구하시오.

03 두 직선의 위치 관계
Mstory1 Mstory2

M1 위치 관계 🔘 개념강의

점
직선   평면

〈점과 직선〉

B•

A• l

• 점 B는 직선 l 위에 있지 않다.
• 점 A는 직선 l 위에 있다.

〈점과 평면〉

B•

P A•

• 점 B는 평면 P 밖에 있다.
• 점 A는 평면 P 위에 있다.

M2 두 직선의 위치 관계 🔘 개념강의

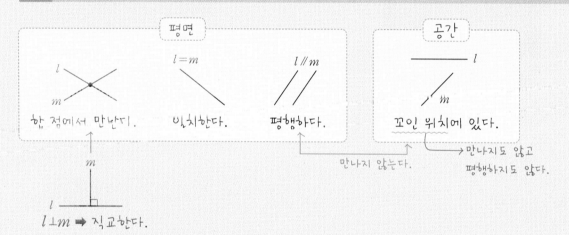

평면

l
m
한 점에서 만난다.

$l = m$
일치한다.

$l /\!/ m$
평행하다.

m
l
$l \perp m$ ➡ 직교한다.

만나지 않는다.

공간

l
m
꼬인 위치에 있다.

➡ 만나지도 않고
평행하지도 않다.

M3 평면의 결정 조건 🔘 개념강의

서로 다른 두 점: 직선의 결정 조건

• 한 직선 위에 있지 않은 서로 다른 세 점
• 한 직선과 그 직선 밖의 한 점
• 한 점에서 만나는 두 직선
• 평행한 두 직선

 참고

• 꼬인 위치에 있는 두 직선은 하나의 평면을 결정하지 않는다.
• 직교하는 두 직선은 하나의 평면을 결정한다.

유형 | 점과 직선, 점과 평면의 위치 관계

09

다음 〈보기〉 중 오른쪽 그림의 점, 직선, 평면의 위치 관계에 대한 설명으로 옳은 것을 모두 고르시오.

─〈 보기 〉─
ㄱ. 점 A는 평면 P 위에 있다.
ㄴ. 점 B는 평면 P 위에 있다.
ㄷ. 점 C는 직선 l 밖에 있다.
ㄹ. 직선 l은 점 B를 지난다.

學

09

다음 그림에 대한 설명으로 옳지 <u>않은</u> 것은?

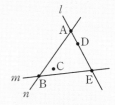

① 점 A는 직선 n 위에 있다.
② 직선 l은 점 D를 지난다.
③ 점 C는 직선 m 위에 있다.
④ 두 직선 m과 n의 교점은 점 B이다.
⑤ 세 점 A, D, E를 지나는 직선은 l이다.

유형 | 평면에서 두 직선의 위치 관계

10

다음 그림의 정팔각형에서 각 변을 연장한 직선에 대한 설명으로 옳지 <u>않은</u> 것은?

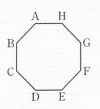

① $\overleftrightarrow{AB}$와 $\overleftrightarrow{EF}$는 평행하다.
② $\overleftrightarrow{BC}$와 $\overleftrightarrow{CB}$는 일치한다.
③ $\overleftrightarrow{CD}$와 $\overleftrightarrow{EF}$는 한 점에서 만난다.
④ $\overleftrightarrow{DE}$와 $\overleftrightarrow{GF}$는 한 점에서 만난다.
⑤ $\overleftrightarrow{AH}$와 한 점에서 만나는 직선은 2개이다.

學

10

다음 그림의 사다리꼴 ABCD에서 $\overline{AD}$와 평행한 변의 개수를 a개, $\overline{AB}$와 평행한 변의 개수를 b개라 할 때, $a+b$의 값을 구하시오.

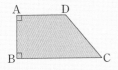

11

다음 그림과 같은 밑면이 정오각형인 각기둥에 대한 설명으로 옳은 것은?

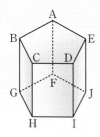

① 모서리 AB와 모서리 IJ는 평행하다.
② 모서리 BG와 평행한 모서리는 4개이다.
③ 모서리 AE와 평행한 모서리는 5개이다.
④ 모서리 CD와 수직으로 만나는 모서리는 4개이다.
⑤ 모서리 CH와 수직으로 만나는 모서리는 없다.

11

다음 그림은 정삼각형과 정사각형 모양의 면으로만 이루어진 입체도형이다. 모서리 AB와 꼬인 위치에 있는 모서리의 개수는?

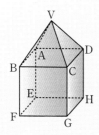

① 3개 ② 4개 ③ 5개
④ 6개 ⑤ 7개

12

다음 중 한 평면을 결정하는 조건이 <u>아닌</u> 것은?

① 평행한 두 직선이 주어질 때
② 직교하는 두 직선이 주어질 때
③ 꼬인 위치에 있는 두 직선이 주어질 때
④ 한 직선과 그 직선 밖의 한 점이 주어질 때
⑤ 한 직선 위에 있지 않은 서로 다른 세 점이 주어질 때

12

다음 그림과 같이 평면 P 밖에 점 A가 있고 평면 P 위에 어느 세 점도 한 직선 위에 있지 않은 네 개의 점 B, C, D, E가 있다. 이들 다섯 개의 점 중 세 개의 점으로 결정되는 서로 다른 평면의 개수를 구하시오.

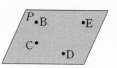

Tip : 페이지 번호를 클릭하면 스마트매쓰⁺ 를 이용하실 수 있어요!

+MEMO

라디오 수타
라디오 방송 형식으로
배운 내용을 재미있게
수학태피하는 코너

질문

09

다음 그림에 대한 설명으로 옳지 <u>않은</u> 것을 모두 고르면?

(정답 2개)

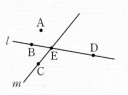

① 점 B는 두 직선 l, m 위에 있다.

② $\overrightarrow{BD}$는 직선 l과 같은 직선이다.

③ 점 C는 직선 l 위에 있지 않다.

④ 두 점 C, E를 지나는 직선은 l이다.

⑤ 점 A는 직선 l 위에도 없고, 직선 m 위에도 없다.

질문

10

정십각형에서 서로 평행한 변은 a쌍이고, 정십오각형에서 서로 평행한 변은 b쌍일 때, $a+b$의 값을 구하시오.

11

다음 그림과 같이 밑면이 정육각형인 각기둥에서 모서리 AB와 수직으로 만나는 모서리의 개수를 a개, 평행한 모서리의 개수를 b개, 꼬인 위치에 있는 모서리의 개수를 c개라 할 때, $a+b+c$의 값은?

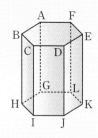

① 9   ② 10   ③ 11
④ 12   ⑤ 13

12

다음 그림과 같이 평면 P 밖에 점 A가 있고, 평면 P 위에 세 점 B, C, D가 있다. 이들 네 점 중 세 점으로 결정되는 서로 다른 평면의 개수는?

(단, 세 점 B, C, D는 한 직선 위에 있지 않다.)

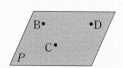

① 1개   ② 2개   ③ 3개
④ 4개   ⑤ 5개

한 평면 위에 있는 서로 다른 세 직선 l, m, n에 대하여 다음 〈보기〉의 설명 중 옳은 것을 모두 고른 것은?

┤ 보기 ├

ㄱ. $l \perp m$, $m \perp n$이면 $l \perp n$이다.
ㄴ. $l \perp m$, $m /\!/ n$이면 $l \perp n$이다.
ㄷ. $l /\!/ m$, $m /\!/ n$이면 $l /\!/ n$이다.

① ㄱ   ② ㄴ   ③ ㄱ, ㄷ
④ ㄴ, ㄷ   ⑤ ㄱ, ㄴ, ㄷ

다음 그림의 전개도로 만들어지는 정육면체에서 $\overline{NF}$와 $\overline{CE}$의 위치 관계는?

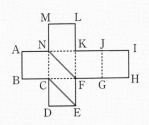

① 평행하다.

② 일치한다.

③ 한 점에서 만난다.

④ 꼬인 위치에 있다.

⑤ 같은 평면 위에 있다.

생각 +++

평면의 오로라를 발견한 A, B, C 세 사람은 오로라의 위치를 D에게 전달하려고 한다. 다음 중 위치를 정확하게 전달하기 위한 정보를 제공한 사람을 모두 말하시오.

A: 오로라 위의 서로 다른 세 점의 위치 정보

B: 오로라 위의 서로 다른 두 직선의 위치 정보

C: 오로라 위의 한 직선과 직선 밖의 오로라 위의 한 점에 대한 위치 정보

04 평면의 위치 관계

Mstory1 Mstory2

M1 직선과 평면의 위치 관계 ⊕ 개념강의

한 점에서 만난다.

평행하다.
$P /\!/ l$

포함된다.

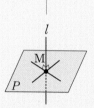

$P \perp l$ ➡ 직교한다.

점과 평면 사이의 거리

M2 평면과 평면의 위치 관계 ⊕ 개념강의

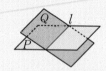

한 직선에서 만난다.

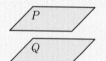

평행하다.
$P /\!/ Q$

일치한다.

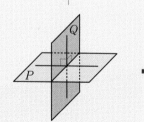

$P \perp Q$ ➡ 직교한다.

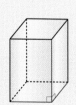

| 공간에서 직선과 평면의 위치 관계

13

다음 그림의 삼각기둥에서 면 ABC와 평행한 모서리의 개수를 a개, 면 ADEB와 수직인 모서리의 개수를 b개라 할 때, $a+b$의 값을 구하시오.

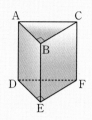

13

다음 그림의 직육면체에 대한 설명으로 옳지 <u>않은</u> 것은?

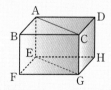

① ∠ACG=90°이다.
② 면 AEGC와 평행한 모서리는 없다.
③ 모서리 AE와 수직인 면은 2개이다.
④ 면 ABCD는 모서리 AB를 포함한다.
⑤ 면 CGHD와 수직인 모서리들은 서로 평행하다.

 | 공간에서 두 평면의 위치 관계

14

다음 그림과 같이 밑면이 정육각형인 각기둥에서 서로 평행한 두 면은 모두 몇 쌍인가?

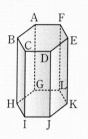

① 1쌍　　② 2쌍　　③ 3쌍
④ 4쌍　　⑤ 5쌍

14

다음 그림과 같은 정육면체에서 면 AEGC와 수직인 면은 모두 몇 개인지 구하시오.

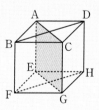

유형 | 일부가 잘린 입체도형에서의 위치 관계

15

아래 그림은 정육면체를 세 꼭짓점 B, C, F를 지나는 평면으로 잘라내고 남은 입체도형이다. 다음 중 옳은 것을 모두 고르면? (정답 2개)

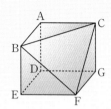

① $\overline{BE}$와 면 BFC는 평행하다.
② $\overline{BF}$와 면 ADGC는 평행하다.
③ $\overline{EF}$와 평행한 면의 개수는 2개이다.
④ $\overline{BC}$와 면 CFG는 꼬인 위치에 있다.
⑤ $\overline{CF}$와 면 ABED는 꼬인 위치에 있다.

15

다음 그림은 직육면체의 일부를 잘라낸 입체도형이다. 면 BFGC와 수직인 면의 개수를 a개, 면 CGHD와 평행한 모서리의 개수를 b개라 할 때, $a+b$의 값을 구하시오.

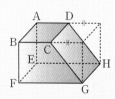

유형 | 여러 가지 위치 관계

16

서로 다른 세 평면 P, Q, R에 대하여 $P \perp Q$, $P /\!/ R$일 때, 두 평면 Q와 R의 위치 관계를 기호를 사용하여 나타내시오.

16

다음 〈보기〉 중 공간에서 서로 다른 두 평면이 평행한 경우를 모두 고른 것은?

┌─── 〈 보기 〉 ───┐
ㄱ. 한 직선에 평행한 두 평면
ㄴ. 한 직선에 수직인 두 평면
ㄷ. 한 평면에 평행한 두 평면
ㄹ. 한 평면에 수직인 두 평면
└──────────┘

① ㄱ, ㄴ　　② ㄱ, ㄷ　　③ ㄴ, ㄷ
④ ㄴ, ㄹ　　⑤ ㄷ, ㄹ

Tip : 페이지 번호를 클릭하면 **스마트매쓰**를 이용하실 수 있어요!

라디오 수타

라디오 방송 형식으로
배운 내용을 재미있게
수학타파하는 코너

13

다음 〈보기〉 중 오른쪽 그림의 직
육면체에 대한 설명으로 옳은 것을
모두 고른 것은?

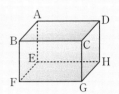

〈 보기 〉

ㄱ. 면 ABCD와 평행한 모서리는 4개이다.
ㄴ. 모서리 BF와 평행한 면은 4개이다.
ㄷ. 모서리 CD와 한 점에서 만나는 면은 2개이다.

① ㄱ   ② ㄴ   ③ ㄷ
④ ㄱ, ㄴ   ⑤ ㄱ, ㄷ

14

다음 그림의 삼각기둥에서 면 ADEB와 수직인 면의 개수
를 구하시오.

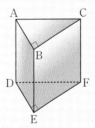

15

다음 그림은 정육면체를 네 꼭짓점 A, B, C, D를 지나는 평면으로 잘라내고 남은 입체도형이다. 면 ABE와 수직인 면의 개수를 a개, 면 AEFD와 평행한 모서리의 개수를 b개라 할 때, $a+b$의 값은?

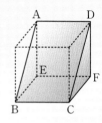

① 2   ② 3   ③ 4
④ 5   ⑤ 6

공간에서 서로 다른 세 평면 P, Q, R가
$$P \perp Q, \quad Q \perp R, \quad R \perp P$$
일 때, 세 평면에 의해 공간은 몇 부분으로 나누어 지는가?

① 2부분   ② 4부분   ③ 6부분
④ 8부분   ⑤ 10부분

16

공간에 서로 다른 세 직선 l, m, n과 서로 다른 세 평면 P, Q, R가 있다. 다음 중 옳은 것을 모두 고르면? (정답 2개)

① $l /\!/ m$, $l \perp n$이면 $m /\!/ n$이다.
② $l /\!/ P$, $m \perp P$이면 $l /\!/ m$이다.
③ $l \perp P$, $m \perp P$이면 $l \perp m$이다.
④ $l \perp P$, $l \perp Q$이면 $P /\!/ Q$이다.
⑤ $P /\!/ Q$, $Q \perp R$이면 $P \perp R$이다.

생각 ➕➕

아래 그림과 같이 문을 열었더니 면 ABCF와 면 FCDE
가 생겼다. 다음 중 두 평면이 수직임을 설명하기 위해 필요
한 조건으로 옳은 것은?

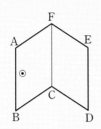

① $\overline{AF} \perp \overline{FC}$, $\overline{FC} \perp \overline{FE}$
② $\overline{AF} /\!/ \overline{BC}$, $\overline{FE} /\!/ \overline{CD}$
③ $\overline{AF} \perp \overline{FC}$, $\overline{AF} \perp \overline{FE}$
④ $\overline{BC} \perp \overline{CF}$, $\overline{FC} /\!/ \overline{ED}$
⑤ $\overline{AB} /\!/ \overline{FC}$, $\overline{FC} /\!/ \overline{ED}$

생각 ➕➕➕

다음 그림의 전개도를 접어서 만든 정육면체에서 면
CFMN과 평행한 모서리를 〈보기〉에서 모두 고르시오.

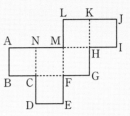

〈 보기 〉

$\overline{AN}$,	$\overline{BC}$,	$\overline{DE}$,	$\overline{FG}$
$\overline{HM}$,	$\overline{HI}$,	$\overline{JK}$,	$\overline{KL}$

05 평행선의 성질

Mstory1 Mstory2

M1 동위각과 엇각 ⊛ 개념강의

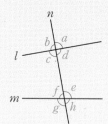

- 동위각(4쌍)

  $\angle a$, $\angle e$ $\angle b$, $\angle f$

  $\angle c$, $\angle g$ $\angle d$, $\angle h$

- 엇각(2쌍)

  $\angle c$, $\angle e$ $\angle d$, $\angle f$

- 동측내각(2쌍)

  $\angle c$, $\angle f$ $\angle d$, $\angle e$

M2 평행선의 성질 ⊛ 개념강의

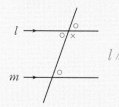

$l /\!/ m$

평행 $\xrightarrow[\text{조건}]{\text{성질}}$

- 동위각의 크기는 같다.
- 엇각의 크기는 같다.
- 동측내각의 크기의 합은 180°이다.

M3 꺾은 선에서의 각 ⊛ 개념강의

$l /\!/ m$

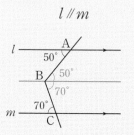

$\angle ABC = 50° + 70° = 120°$

$l /\!/ m$

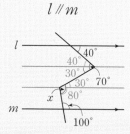

$\angle x = 30° + 80° = 110°$

용어사전

- 동위각(同 같다, 位 위치, 角 각도)
- 동측내각(同 같다, 側 곁, 内 안, 角 각도)

| 평행선의 성질

17

다음 그림에서 $l /\!/ m$일 때, $\angle a + \angle b$의 크기는?

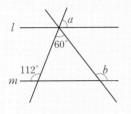

① 188° ② 192° ③ 196°
④ 200° ⑤ 204°

學

17

다음 그림에서 $l /\!/ m$이고 두 직선 l, m 사이의 삼각형이 정삼각형일 때, $\angle y - \angle x$의 크기를 구하시오.

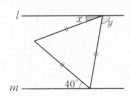

| 두 직선이 평행할 조건

18

다음 중 두 직선 l, m이 서로 평행한 것을 모두 고르면?

(정답 2개)

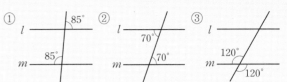

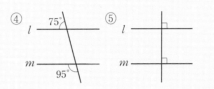

學

18

다음 그림에서 평행한 두 직선을 모두 찾으시오.

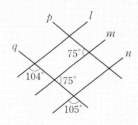

05

유형 | 평행선과 꺾인 직선

19

다음 그림에서 $l /\!/ m$일 때, $\angle x$의 크기를 구하시오.

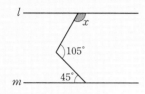

유형 | 종이 접기

20

다음 그림과 같이 직사각형 모양의 종이 테이프를 접었을 때, $\angle x$, $\angle y$의 크기를 각각 구하시오.

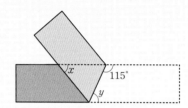

19

다음 그림에서 $l /\!/ m$일 때, $\angle a - \angle b$의 크기는?

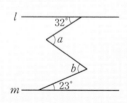

① 8°   ② 9°   ③ 10°

④ 11°   ⑤ 12°

20

다음 그림과 같이 직사각형 모양의 종이 테이프를 접었을 때, $\angle x$, $\angle y$의 크기를 각각 구하시오.

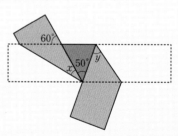

Tip : 페이지 번호를 클릭하면 **스마트매스⁺**를 이용하실 수 있어요!

라디오 수타

라디오 방송 형식으로
배운 내용을 재미있게
수학타파하는 코너

꼭

17

다음 그림에서 $l /\!/ m$일 때, $\angle x + \angle y$의 크기는?

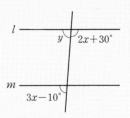

① 105°   ② 108°   ③ 112°

④ 115°   ⑤ 118°

꼭

18

다음 그림에서 $l /\!/ m$이 되는 경우는?

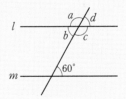

① $\angle a = 60°$ ② $\angle b = 120°$

③ $\angle c = 120°$ ④ $\angle a + \angle b = 180°$

⑤ $\angle b + \angle c = 180°$

19

다음 그림에서 $l /\!/ m$일 때, $\angle x$의 크기는?

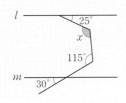

① $90°$ ② $100°$ ③ $110°$

④ $120°$ ⑤ $130°$

20

다음 그림은 직사각형 모양의 종이를 접은 것이다. $\angle a - \angle b$의 크기는?

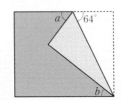

① $11°$ ② $12°$ ③ $13°$

④ $14°$ ⑤ $15°$

생각 ✚

다음 그림과 같이 세 직선 l, m, n이 만날 때, $\angle a$의 모든 동위각의 크기의 합과 모든 엇각의 크기의 합을 차례로 구하시오.

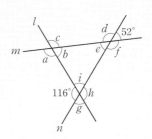

다음은 학알접기와 별접기 설명서의 일부이다. 이 종이 접기에서 표시한 ∠x, ∠y의 크기를 각각 구하시오.
　　(단, 평행한 띠종이를 사용하여 종이 접기를 하였다.)

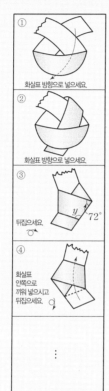

다음 그림에서 $l /\!/ m$일 때, ∠a＋∠b＋∠c＋∠d의 크기를 구하시오.

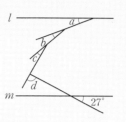

단원 종합 문제

<1번부터 16번까지는 각 문항당 4점입니다.>

01

다음 설명 중 옳지 <u>않은</u> 것은?

① 점이 움직인 자리는 선이 된다.
② 서로 다른 두 점을 지나는 직선은 오직 하나이다.
③ 시작점이 같은 두 반직선은 같다.
④ 점, 선, 면은 도형을 이루는 기본 요소이다.
⑤ 면과 면이 만나서 생기는 선은 교선이다.

02

다음 그림과 같이 6개의 점 A, B, C, D, E, F가 있을 때, 이 중 두 점을 이어 만들 수 있는 서로 다른 직선의 개수를 구하시오.

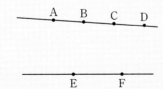

03

다음 그림에서
$\overline{OA} \perp \overline{OC}$, $\overline{OB} \perp \overline{OD}$, $\angle AOB + \angle COD = 48°$
일 때, $\angle BOC$의 크기를 구하시오.

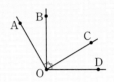

04

다음 그림에서 $\angle x : \angle y : \angle z = 3 : 7 : 2$일 때, $\angle x$의 크기를 구하시오.

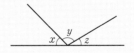

Tip : 페이지 번호를 클릭하면 스마트메스+를 이용하실 수 있어요!

05

오른쪽 그림과 같이 직선 AB와 직선 CD가 서로 수직으로 만날 때, 다음 〈보기〉 중 옳은 것을 모두 고른 것은?

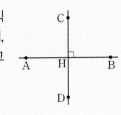

〈 보기 〉

ㄱ. $\overleftrightarrow{AB} \perp \overleftrightarrow{CD}$

ㄴ. $\angle AHC = 90°$

ㄷ. 점 B와 직선 CD 사이의 거리는 $\overline{BC}$의 길이이다.

ㄹ. 점 C에서 직선 AB에 내린 수선의 발은 점 H이다.

① ㄱ, ㄴ   ② ㄱ, ㄴ, ㄷ   ③ ㄱ, ㄴ, ㄹ

④ ㄱ, ㄷ, ㄹ   ⑤ ㄴ, ㄷ, ㄹ

06

다음 그림과 같이 다섯 개의 직선이 한 점에서 만날 때, $\angle a + \angle b + \angle c + \angle d + \angle e$의 크기를 구하시오.

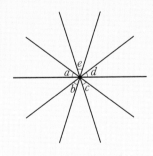

07

한 평면 위에 있는 서로 다른 세 직선 l, m, n에 대하여 $l \perp m$, $l /\!/ n$일 때, 두 직선 m, n의 위치 관계는?

① 평행하다.   ② 일치한다.

③ 직교한다.   ④ 두 점에서 만난다.

⑤ 알 수 없다.

08

다음 중 아래 그림의 직육면체에서 모서리 BC와 위치 관계가 <u>다른</u> 하나는?

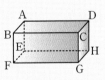

① $\overline{AE}$ ② $\overline{BF}$ ③ $\overline{DH}$

④ $\overline{EF}$ ⑤ $\overline{GH}$

09

다음 그림과 같이 정삼각형 8개로 이루어진 입체도형이 있다. 다음 중 모서리 AB와 꼬인 위치에 있는 모서리가 아닌 것은?

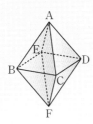

① $\overline{CD}$　　② $\overline{CF}$　　③ $\overline{DE}$

④ $\overline{DF}$　　⑤ $\overline{EF}$

10

다음 그림은 직육면체를 세 점 P, Q, R를 지나는 평면으로 자른 입체도형이다. 모서리 PQ와 꼬인 위치에 있는 모서리의 개수를 a개, 모서리 AP와 평행한 면의 개수를 b개, 면 EFGH에 수직인 모서리의 개수를 c개라 할 때, $a-b-c$의 값을 구하시오.

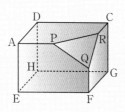

11

다음 그림의 전개도를 접어서 만든 정육면체에 대하여 다음 중 면 ABCN과 수직인 모서리가 아닌 것은?

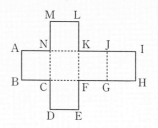

① $\overline{CF}$　　② $\overline{DE}$　　③ $\overline{FG}$

④ $\overline{GH}$　　⑤ $\overline{ML}$

12

공간에서 평행한 두 평면과 다른 한 평면이 만나서 생기는 두 직선의 위치 관계는?

① 평행하다.　　② 수직이다.

③ 일치한다.　　④ 꼬인 위치에 있다.

⑤ 수직이 아닌 한 점에서 만난다.

Tip : 페이지 번호를 클릭하면 스마트매쓰⁺를 이용하실 수 있어요!

13

다음 그림에서 ∠e의 동위각, 엇각, 맞꼭지각을 차례로 나열한 것은?

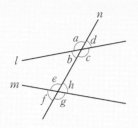

① ∠a, ∠b, ∠h 　② ∠a, ∠c, ∠g

③ ∠b, ∠a, ∠h 　④ ∠b, ∠c, ∠g

⑤ ∠c, ∠b, ∠g

15

다음 그림에서 $l /\!/ m$, ∠BAC : ∠ACD＝5 : 4이고, $\overline{AD}$, $\overline{BC}$는 각각 ∠BAC, ∠ACD의 이등분선이다. 이때, ∠x＋∠y의 크기를 구하시오.

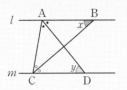

14

다음 그림에서 $l /\!/ m$이고 □ABCD가 정사각형일 때, ∠x의 크기를 구하시오.

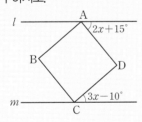

16

다음 그림은 직사각형 모양의 종이를 접은 것이다. ∠a의 크기는?

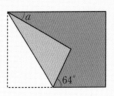

① 24°　② 25°　③ 26°

④ 27°　⑤ 28°

 단원 종합 문제 **45**

17

오른쪽 그림과 같이 시계가 5시 46분을 가리킬 때, 다음 물음에 답하시오.

[총 6점]

(1) 시침과 분침이 1분에 움직인 각도를 각각 구하시오. [2점]

(2) 시계의 12를 가리킬 때부터 시침과 분침이 움직인 각도를 각각 구하시오. [2점]

(3) 시침과 분침이 이루는 각 중 작은 쪽의 각의 크기를 구하시오. [2점]

18

길이가 18cm인 $\overline{AB}$ 위에 $\overline{AP}=2\overline{PB}$인 점 P를 잡고, $\overline{AB}$의 연장선 위에 $\overline{AQ}=2\overline{BQ}$인 점 Q를 잡았다. $\overline{AB}$의 중점을 M, $\overline{PQ}$의 중점을 N이라 할 때, $\overline{MN}$의 길이를 구하시오. [10점]

 Tip : 페이지 번호를 클릭하면 **스마트매쓰⁺**를 이용하실 수 있어요!

19

다음 그림의 직육면체에서 대각선 AG, 모서리 CD와 동시에 꼬인 위치에 있는 모서리를 모두 구하시오. [10점]

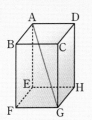

20

다음 그림에서 $l \parallel m$일 때, $\angle a + \angle b + \angle c + \angle d + \angle e$의 크기를 구하시오. [10점]

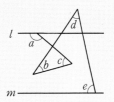

II

작도와 합동

☑ 학습 계획 및 성취도 체크

· 유형 이해도에 따라 ☐ 안에 O, △, X를 표시합니다.

· 시험 전에 X 표시한 유형은 반드시 한 번 더 풀어 봅니다.

01 간단한 도형의 작도

	학습 계획	1차 학습	2차 학습
유형 01 길이가 같은 선분과 크기가 같은 각의 작도	/	☐	☐
유형 02 선분의 수직이등분선과 각의 이등분선의 작도	/	☐	☐
유형 03 수선의 작도	/	☐	☐
유형 04 평행선의 작도	/	☐	☐

02 삼각형의 작도

	학습 계획	1차 학습	2차 학습
유형 05 삼각형의 세 변의 길이 사이의 관계	/	☐	☐
유형 06 삼각형의 작도	/	☐	☐
유형 07 삼각형이 하나로 결정되는 경우	/	☐	☐
유형 08 직각의 삼등분선의 작도	/	☐	☐

03 삼각형의 합동조건

	학습 계획	1차 학습	2차 학습
유형 09 도형의 합동	/	☐	☐
유형 10 합동인 두 도형	/	☐	☐
유형 11 합동인 도형의 성질	/	☐	☐
유형 12 삼각형의 합동조건	/	☐	☐

04 삼각형의 합동조건의 응용

	학습 계획	1차 학습	2차 학습
유형 13 삼각형의 합동조건을 이용한 설명	/	☐	☐
유형 14 정삼각형의 성질을 이용한 설명	/	☐	☐
유형 15 정사각형의 성질을 이용한 설명	/	☐	☐
유형 16 작도에서의 원리	/	☐	☐

II 작도와 합동

1 작도

1. 작도: 눈금 없는 자와 컴퍼스만을 사용하여 도형을 그리는 것

   (1) 눈금 없는 자: 두 점을 잇는 선분을 그리거나 선분을 연장할 때 사용

   (2) 컴퍼스: 원을 그리거나 선분의 길이를 다른 직선으로 옮길 때 사용

2. 간단한 도형의 작도

(1) 길이가 같은 선분의 작도	(2) 크기가 같은 각의 작도
(3) 선분의 수직이등분선의 작도	(4) 각의 이등분선의 작도

3. 삼각형의 작도

(1) 세 변의 길이가 주어졌을 때	(2) 두 변의 길이와 그 끼인 각의 크기가 주어질 때	(3) 한 변의 길이와 그 양 끝각의 크기가 주어질 때

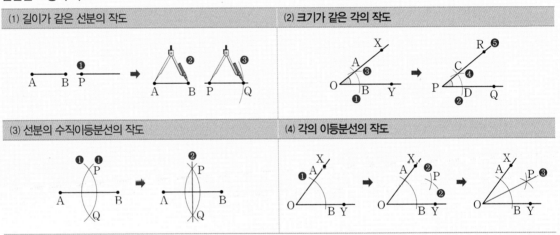

2 합동

1. 도형의 합동

(1) **합동**: 도형 P를 모양이나 크기를 바꾸지 않고 다른 도형 Q와 완전히 포갤 수 있을 때, 이 두 도형을 서로 합동이라 하고, 기호로 P≡Q와 같이 나타낸다.

(2) **대응**: 합동인 두 도형에서 서로 포개어지는 꼭짓점, 변, 각을 서로 대응 한다고 한다.

① 대응점: 서로 포개어지는 꼭짓점

② 대응변: 서로 포개어지는 변

③ 대응각: 서로 포개어지는 각

(3) **합동인 도형의 성질**: 두 도형이 서로 합동이면

① 대응변의 길이는 서로 같다.

② 대응각의 크기는 서로 같다.

2. 삼각형의 합동조건

다음의 각 경우에 △ABC와 △DEF는 서로 합동이다.

(1) 대응하는 세 변의 길이가 각각 같다.

$\overline{AB}=\overline{DE}$, $\overline{BC}=\overline{EF}$, $\overline{CA}=\overline{FD}$

➡ △ABC≡△DEF(SSS 합동)

(2) 대응하는 두 변의 길이가 각각 같고, 그 끼인 각의 크기가 같다.

$\overline{AB}=\overline{DE}$, $\overline{BC}=\overline{EF}$, ∠B=∠E

➡ △ABC≡△DEF(SAS 합동)

(3) 대응하는 한 변의 길이가 같고, 그 양 끝각의 크기가 각각 같다.

$\overline{BC}=\overline{EF}$, ∠B=∠E, ∠C=∠F

➡ △ABC≡△DEF(ASA 합동)

01 간단한 도형의 작도

Mstory1 Mstory2

M1 길이가 같은 선분과 크기가 같은 각의 작도 ⊕ 개념강의

작도 ┌ 눈금 없는 자: 선분, 선분 연장
      └ 컴퍼스: 원, 길이 옮기기

〈길이가 같은 선분의 작도〉

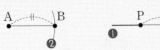

〈크기가 같은 각의 작도〉

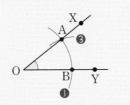

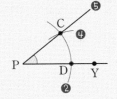

M2 선분의 수직이등분선과 각의 이등분선의 작도 ⊕ 개념강의

〈선분의 수직이등분선의 작도〉

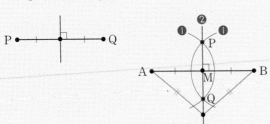

〈각의 이등분선의 작도〉

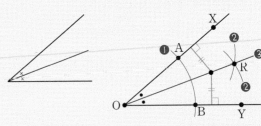

M3 수선과 평행선의 작도 ⊕ 개념강의

〈수선의 작도〉

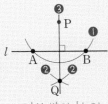

직선 밖의 한 점

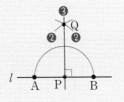

직선 위의 한 점
평각의 이등분선(직각)의
작도와 같다.

〈평행선의 작도〉

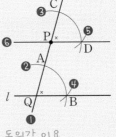

동위각 이용

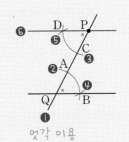

엇각 이용

용어사전 ✂ • 수선(垂 늘어뜨리다, 線 선) perpendicular

| 길이가 같은 선분과 크기가 같은 각의 작도

01

다음은 선분 AB와 길이가 같은 선분 PQ를 작도하는 과정이다. 작도 순서를 바르게 나열하시오.

ⓐ 눈금 없는 자를 사용하여 직선 l을 긋고, 그 위에 한 점 P를 잡는다.

ⓑ 컴퍼스로 점 P를 중심으로 하고 반지름의 길이가 $\overline{AB}$인 원을 그려 직선 l과 만나는 점을 Q라 한다.

ⓒ 컴퍼스로 $\overline{AB}$의 길이를 잰다.

 | 선분의 수직이등분선과 각의 이등분선의 작도

02

오른쪽 그림은 선분 AB의 수직이등분선을 작도한 것이다. 다음 중 옳지 <u>않은</u> 것을 모두 고르면?

(정답 2개)

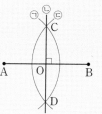

① 작도 순서는 ⓐ → ⓑ → ⓒ이다.
② $\overline{AC}=\overline{BC}$
③ $\overline{AB}=\overline{CD}$
④ $\angle AOC=90°$
⑤ $\triangle AOC=\triangle BOC$

01

다음 그림은 ∠XOY와 크기가 같은 각을 반직선 PQ를 한 변으로 하여 작도하는 과정이다. 작도 순서를 바르게 나열하시오.

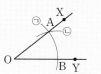

02

오른쪽 그림은 ∠XOY의 이등분선을 작도하는 과정이다. 작도 순서를 바르게 나열하시오.

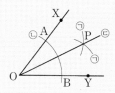

ⓐ 두 점 A, B를 중심으로 반지름의 길이가 같은 두 원을 그려 이 두 원의 교점을 P라 한다.

ⓑ 점 O를 중심으로 원을 그려 $\overrightarrow{OX}$, $\overrightarrow{OY}$와의 교점을 각각 A, B라 한다.

ⓒ $\overrightarrow{OP}$를 그리면 $\overrightarrow{OP}$가 ∠XOY의 이등분선이 된다.

03

오른쪽 그림은 직선 *l* 밖의 한 점 P에서 직선 *l*에 수선을 작도한 것이다. 다음 〈보기〉 중 옳은 것을 모두 고른 것은?

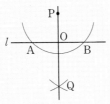

┌──────── 〈 보기 〉 ────────┐

ㄱ. $l \perp \overline{PQ}$ ㄴ. $\overline{AP} = \overline{BP}$

ㄷ. $\overline{AQ} = \overline{BQ}$ ㄹ. $\overline{AP} = \overline{AQ}$

└────────────────────────┘

① ㄱ, ㄴ   ② ㄱ, ㄷ   ③ ㄷ, ㄹ

④ ㄱ, ㄴ, ㄷ   ⑤ ㄴ, ㄷ, ㄹ

03

오른쪽 그림은 직선 *l* 위의 한 점 P에서 직선 *l*의 수선을 작도한 것이다. 다음 중 옳지 <u>않은</u> 것은?

① $\overline{AB} \perp \overline{PQ}$

② $\overline{AB} = \overline{PQ}$

③ 작도 순서는 ⓒ → ㉠ → ㉡이다.

④ $\angle APQ = \angle BPQ = 90°$이다.

⑤ $\angle APB$를 이등분하는 과정과 같다.

04

다음 그림은 직선 *l* 밖의 한 점 P를 지나고 직선 *l*에 평행한 직선 *m*을 작도하는 과정이다. 작도 순서를 바르게 나열할 때, ㉠~㉢ 중에서 첫 번째 과정을 말하시오.

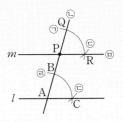

04

오른쪽 그림은 직선 *l* 밖의 한 점 P를 지나고 직선 *l*과 평행한 직선 *m*을 작도한 것이다. 다음 중 옳지 <u>않은</u> 것은?

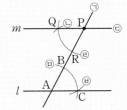

① $\overleftrightarrow{AC} /\!/ \overline{QP}$

② $\overline{BC} = \overline{QR}$

③ $\angle BAC = \angle QPR$

④ 작도 순서는 ㉠ → ㉣ → ㉡ → ㉤ → ㉥ → ㉢이다.

⑤ '엇각의 크기가 같은 두 직선은 평행하다.'는 성질을 이용한 것이다.

라디오 수타

라디오 방송 형식으로
배운 내용을 재미있게
수학타파하는 코너

꼼

01

아래 그림은 ∠XOY와 크기가 같은 각을 반직선 PR를
한 변으로 하여 작도한 것이다. 다음 중 길이가 나머지 넷과
다른 하나는?

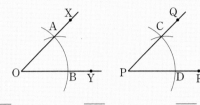

① $\overline{AB}$ ② $\overline{OA}$ ③ $\overline{OB}$

④ $\overline{PC}$ ⑤ $\overline{PD}$

꼼

02

아래 그림은 ∠XOY의 이등분선을 작도한 것이다. 다음
중 옳지 <u>않은</u> 것은?

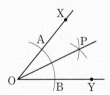

① $\overline{OA}=\overline{OB}$ ② $\overline{AP}=\overline{BP}$

③ $\overline{AX}=\overline{BY}$ ④ ∠AOP=∠BOP

⑤ ∠AOB=2∠AOP

03

아래 그림은 직선 l 위에 있지 않은 한 점 P에서 직선 l에 수선을 작도한 것이다. 다음 중 $\overline{AQ}$와 길이가 같은 선분은?

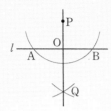

① $\overline{AB}$　　② $\overline{AP}$　　③ $\overline{BP}$
④ $\overline{BQ}$　　⑤ $\overline{OP}$

작도에 대한 다음 설명 중 옳은 것을 모두 고르면?

(정답 2개)

① 선분을 연장할 때에는 눈금 없는 자를 사용한다.
② 두 선분의 길이를 비교할 때에는 자를 사용한다.
③ 선분의 길이를 잴 때에는 컴퍼스를 사용한다.
④ 주어진 각과 크기가 같은 각을 작도할 때에는 각도기를 사용한다.
⑤ 주어진 선분의 길이를 다른 직선 위로 옮길 때에는 자를 사용한다.

04

아래 그림은 직선 l 밖의 한 점 P를 지나고 직선 l과 평행한 직선 m을 작도한 것이다. 다음 중 옳지 않은 것은?

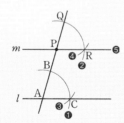

① $\overleftrightarrow{AC} /\!/ \overrightarrow{PR}$　　② $\overline{AC}=\overline{PQ}$
③ $\overline{BC}=\overline{QR}$　　④ $\overline{PR}=\overline{QR}$
⑤ $\angle BAC=\angle QPR$

다음은 북두칠성의 그림이다. B 별로부터, A 별에서 B 별의 방향으로 $\overline{AB}$의 길이의 5배가 되는 지점에 북극성이 위치한다고 할 때, 눈금 없는 자와 컴퍼스를 이용하여 북극성의 위치를 작도하시오.

다음과 같은 보물섬 지도에 적힌 글을 해석하여 보물이 묻힌 지점을 작도하시오.

해골, 칼, 고인돌 세 지점으로부터 같은 거리에 있는 곳, 그 발 밑에 보물이 묻혀 있다.

02 삼각형의 작도
Mstory1 Mstory2

M1 삼각형의 6요소 🔘 개념강의

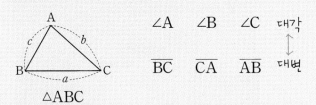

$\angle A$ $\angle B$ $\angle C$ 대각

$\overline{BC}$ $\overline{CA}$ $\overline{AB}$ 대변

$\triangle ABC$

M2 삼각형의 작도 🔘 개념강의

(1) 세 변의 길이가 주어질 때

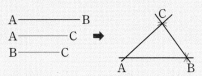

(2) 두 변의 길이와 그 끼인각의 크기가 주어질 때

(3) 한 변의 길이와 그 양 끝 각의 크기가 주어질 때

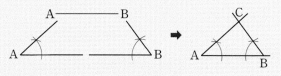

M3 삼각형이 하나로 정해지는 경우 🔘 개념강의

• 세 변 (SSS)

  (가장 긴 변) < (나머지 두 변 합)

• 두 변 & 끼인각 (SAS)

  반드시 끼인각

• 한 변 & 양 끝 각 (ASA)

  위치 명확한 두 각

• 참고 세 각 (AAA)

  (×)

M4 직각의 삼등분선의 작도 🔘 개념강의

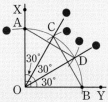

〈작도가 가능한 각〉

$180° \rightarrow 90° \rightarrow 45° \rightarrow 22.5° \rightarrow \cdots$

  $60°$ ↓ $75°$ $105°$

$30° \rightarrow 15° \rightarrow 7.5° \rightarrow \cdots$

 용어사전 • 대변(對 대하다, 邊 가장자리) opposite edge   • 대각(對 대하다, 角 각도) opposite angle

정답 및 해설 p. 21

유형 | 삼각형의 세 변의 길이 사이의 관계

05

다음과 같이 세 변의 길이가 주어질 때, 삼각형을 만들 수 없는 것은?

① 3cm, 3cm, 4cm

② 4cm, 5cm, 6cm

③ 5cm, 6cm, 10cm

④ 6cm, 6cm, 12cm

⑤ 7cm, 7cm, 7cm

學

05

삼각형의 세 변의 길이가 x, $3x+1$, $3x-4$일 때, x의 값의 범위를 구하시오.

유형 | 삼각형의 작도

06

아래 그림과 같이 한 변 AB의 길이와 그 양 끝각 ∠A, ∠B의 크기가 주어졌을 때, 다음 중 △ABC를 작도하는 순서로 옳지 <u>않은</u> 것은?

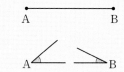

① ∠A→$\overline{\mathrm{AB}}$→∠B

② ∠B→$\overline{\mathrm{AB}}$→∠A

③ ∠B→∠A→$\overline{\mathrm{AB}}$

④ $\overline{\mathrm{AB}}$→∠A→∠B

⑤ $\overline{\mathrm{AB}}$→∠B→∠A

學

06

다음은 두 변과 그 끼인 각이 주어졌을 때, 삼각형을 작도하는 과정이다. 주어진 그림을 보고 ㈎, ㈏, ㈐에 알맞은 것을 써넣으시오.

❶ ∠A와 크기가 같은 [㈎]를 작도한다.

❷ 점 A를 중심으로 반지름의 길이가 [㈏]인 원을 그려 반직선 AP와 만나는 점을 B라 한다.

❸ 점 A를 중심으로 반지름의 길이가 [㈐]인 원을 그려 반직선 AQ와 만나는 점을 C라 한다.

❹ 두 점 B와 C를 이으면 △ABC가 된다.

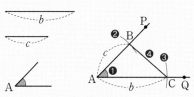

유형 | 삼각형이 하나로 결정되는 경우

07

다음 중 △ABC가 하나로 결정되는 것을 모두 고르면?

(정답 2개)

① ∠A=40°, ∠B=60°, ∠C=80°
② $\overline{AB}$=5cm, $\overline{CA}$=8cm, ∠C=30°
③ $\overline{AB}$=5cm, ∠A=30°, ∠B=70°
④ $\overline{BC}$=4cm, $\overline{CA}$=5cm, ∠C=60°
⑤ $\overline{AB}$=3cm, $\overline{BC}$=4cm, $\overline{CA}$=7cm

學

07

$\overline{AC}$=8cm, ∠A=70°일 때, 다음 〈보기〉 중 △ABC가 하나로 결정되기 위해 더 필요한 조건을 모두 고르시오.

─────〈 보기 〉─────
ㄱ. ∠B=40°   ㄴ. ∠C=110°
ㄷ. $\overline{AB}$=7cm   ㄹ. $\overline{BC}$=7cm
─────────────────

유형 | 직각의 삼등분선의 작도

08

다음 그림은 직각 ∠XOY의 삼등분선을 작도한 것이다. 점 O, A, B, C, D 중 세 점으로 이루어지는 정삼각형을 모두 구하시오.

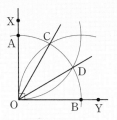

學

08

다음은 선분 AB를 한 변으로 하는 정삼각형을 작도하는 과정이다. ㈎, ㈏에 알맞은 것을 써넣으시오.

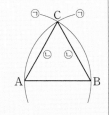

㉠ 두 점 A, B를 중심으로 하고 반지름의 길이가 ㈎ 인 원을 각각 그려 두 원의 교점을 C라 한다.

㉡ 두 점 A, C와 두 점 B, C를 각각 연결하면 △ABC는 ㈏ 이다.

Tip : 페이지 번호를 클릭하면 스마트메스+를 이용하실 수 있어요!

정답 및 해설 p. 21

+MEMO

라디오 수타

라디오 방송 형식으로
배운 내용을 재미있게
수학타파하는 코너

꿀

05

길이가 $4\,\mathrm{cm}$, $5\,\mathrm{cm}$, $7\,\mathrm{cm}$, $9\,\mathrm{cm}$인 4개의 선분 중 3개를
골라 만들 수 있는 서로 다른 삼각형의 개수는?

① 1개   ② 2개   ③ 3개

④ 4개   ⑤ 5개

꿀

06

아래 그림과 같이 두 변 AB, AC의 길이와 $\angle A$의 크기가
주어졌을 때, 다음 중 $\triangle ABC$를 작도하는 순서로 옳지 <u>않은</u>
것은?

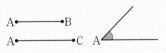

① $\angle A \rightarrow \overline{AB} \rightarrow \overline{CA}$

② $\angle A \rightarrow \overline{CA} \rightarrow \overline{AB}$

③ $\overline{AB} \rightarrow \angle A \rightarrow \overline{CA}$

④ $\overline{AB} \rightarrow \overline{CA} \rightarrow \angle A$

⑤ $\overline{CA} \rightarrow \angle A \rightarrow \overline{AB}$

07

△ABC에서 ∠C의 크기가 주어졌을 때, 다음 〈보기〉 중 삼각형이 하나로 결정되지 <u>않는</u> 것을 모두 고른 것은?

〈 보기 〉

ㄱ. $\overline{AC}$, $\overline{BC}$의 길이
ㄴ. ∠A, ∠B의 크기
ㄷ. ∠A의 크기, $\overline{AC}$의 길이
ㄹ. ∠B의 크기, $\overline{AB}$의 길이

① ㄱ   ② ㄴ   ③ ㄱ, ㄴ
④ ㄱ, ㄷ   ⑤ ㄷ, ㄹ

08

아래 그림은 직각 ∠XOY의 삼등분선을 작도한 것이다. 다음 중 옳지 <u>않은</u> 것은?

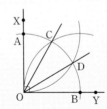

① $\overline{OA}=\overline{AD}$ ② ∠BOC$=60°$
③ $\overline{AD}=2\overline{AC}$ ④ $\overline{OB}=\overline{BC}$
⑤ ∠AOC$=$∠COD

삼각형의 세 변의 길이가 $6\,cm$, $13\,cm$, $x\,cm$일 때, x의 값이 될 수 있는 자연수의 개수를 구하시오.

생각 ❤❤

$\angle B=45°$, $\overline{AB}=5\,cm$, $\overline{CA}=4\,cm$인 삼각형 ABC를 작도하려고 한다. 다음 중 옳은 것은?

① 삼각형을 그릴 수 없다.

② 한 개의 삼각형을 그릴 수 있다.

③ 두 개의 삼각형을 그릴 수 있다.

④ 세 개의 삼각형을 그릴 수 있다.

⑤ 무수히 많은 삼각형을 그릴 수 있다.

 생각 ❤❤❤

다음 중 작도할 수 있는 각을 모두 고르면? (정답 2개)

① $7.5°$　　② $45.5°$　　③ $80°$

④ $112.5°$　　⑤ $145°$

03 삼각형의 합동조건

Mstory1 Mstory2

M1 도형의 합동 ⊛ 개념강의

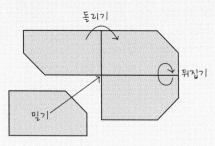

돌리기

뒤집기

밀기

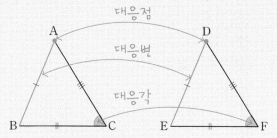

대응점

대응변

대응각

- 합동 ➡ 대응변, 대응각, 넓이

- 합동 $\overset{\bigcirc}{\underset{\times}{\longleftrightarrow}}$ 넓이

$\triangle ABC \equiv \triangle DEF$ 대응점의 순서대로

$\triangle ABC \backsim \triangle DEF$ (모양)

$\triangle ABC = \triangle DEF$ (크기)

M2 삼각형의 합동조건 ⊛ 개념강의 ・S: 변(side), A: 각(angle)

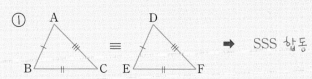

① ➡ SSS 합동

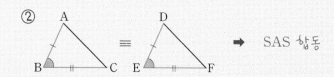

② ➡ SAS 합동

③ ➡ ASA 합동

유형 | 도형의 합동

09

다음 ㈎~㈐에 알맞은 말을 써넣으시오.

> 합동인 두 도형에서 서로 포개어지는 꼭짓점, 변, 각
> 을 서로 ㈎ 고 한다.
> 이때, 서로 포개어지는 꼭짓점을 ㈏ , 서로 포개
> 어지는 변을 ㈐ , 서로 포개어지는 각을 ㈑
> 이라 한다.

유형 | 합동인 두 도형

10

다음 중 두 도형이 합동이 <u>아닌</u> 것은?

① 넓이가 같은 두 반원
② 넓이가 같은 두 정사각형
③ 반지름의 길이가 같은 두 원
④ 둘레의 길이가 같은 두 직사각형
⑤ 한 변의 길이가 같은 두 정삼각형

學

09

다음 〈보기〉 중 합동인 두 도형에 대한 설명으로 중 옳은
것을 모두 고른 것은?

> ─── 〈 보기 〉 ───
> ㄱ. 합동인 두 도형의 넓이는 서로 같다.
> ㄴ. 두 도형의 넓이가 같으면 서로 합동이다.
> ㄷ. 한 도형을 다른 도형에 완전히 포갤 수 있다.

① ㄱ   ② ㄴ   ③ ㄱ, ㄷ
④ ㄴ, ㄷ   ⑤ ㄱ, ㄴ, ㄷ

學

10

다음 〈보기〉 중 두 도형이 합동인 것을 모두 고른 것은?

> ─── 〈 보기 〉 ───
> ㄱ. 반지름의 길이가 같은 두 원
> ㄴ. 한 변의 길이가 같은 두 마름모
> ㄷ. 둘레의 길이가 같은 두 정사각형
> ㄹ. 빗변의 길이가 같은 두 직각이등변삼각형
> ㅁ. 넓이가 같은 두 이등변삼각형

① ㄱ, ㄷ   ② ㄴ, ㅁ   ③ ㄱ, ㄷ, ㄹ
④ ㄴ, ㄷ, ㄹ   ⑤ ㄴ, ㄷ, ㅁ

유형 | 합동인 도형의 성질

11

아래 그림에서 △ABC≡△DEF일 때, 다음 중 옳은 것을 모두 고르면? (정답 2개)

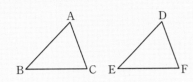

① $\overline{AB}=\overline{EF}$ 　② $\overline{AC}=\overline{DF}$
③ $\overline{BC}=\overline{DE}$ 　④ ∠A=∠F
⑤ ∠B=∠E

유형 | 삼각형의 합동조건

12

다음 〈보기〉 중 서로 합동인 삼각형을 찾고, 그 합동조건을 말하시오.

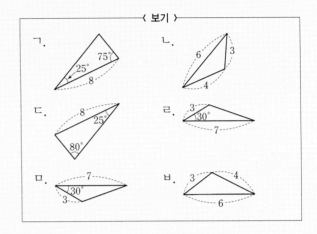

11

다음 그림은 △ABC에서 변 BC 위의 한 점 D를 잡아 점 A와 연결한 것이다. △ABD≡△ACD일 때, ∠x+∠y의 크기를 구하시오.

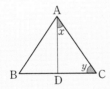

12

다음 중 오른쪽 그림의 △ABC와 합동인 삼각형은?

① 　②

③ 　④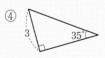

⑤

+MEMO

라디오 수타
라디오 방송 형식으로
배운 내용을 재미있게
수학타파하는 코너

09

다음 〈보기〉 중 옳은 것을 모두 고른 것은?

< 보기 >

ㄱ. 모양이 같은 두 도형은 합동이다.
ㄴ. 합동인 두 도형의 둘레의 길이는 서로 같다.
ㄷ. 두 도형 P와 Q가 합동일 때, 기호로 P≡Q와
   같이 나타낸다.

① ㄱ   ② ㄴ   ③ ㄱ, ㄷ

④ ㄴ, ㄷ   ⑤ ㄱ, ㄴ, ㄷ

10

다음 중 두 도형이 합동이 <u>아닌</u> 것은?

① 넓이가 같은 두 정삼각형
② 둘레의 길이가 같은 두 원
③ 둘레의 길이가 같은 두 정사각형
④ 세 내각의 크기가 같은 두 정삼각형
⑤ 한 변의 길이가 같은 두 정육각형

11

다음 그림에서 △ABC≡△DEF일 때, $x+y$의 값은?

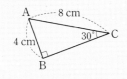 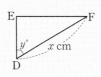

① 60   ② 64   ③ 68

④ 72   ⑤ 76

다음 그림에서 □ABCD≡□EFGH일 때, ∠E의 크기와 $\overline{FG}$의 길이를 각각 구하시오.

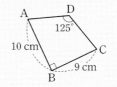

12

다음 〈보기〉 중 아래 그림의 △ABC와 △DEF가 합동이 될 수 있는 것을 모두 고른 것은?

〈 보기 〉

ㄱ. $a=d$, $b=e$, $c=f$

ㄴ. $b=e$, $c=f$, ∠A=∠D

ㄷ. $b=e$, ∠A=∠D, ∠C=∠F

① ㄱ   ② ㄴ   ③ ㄱ, ㄷ

④ ㄴ, ㄷ   ⑤ ㄱ, ㄴ, ㄷ

아래 그림은 모양은 같지만 크기가 다른 여러 개의 직각삼각형을 그린 것이다. 다음 중 이 그림을 보고 알 수 있는 것은?

① 세 변의 길이가 주어지면 삼각형은 하나로 결정된다.
② 세 변의 길이가 주어지면 삼각형은 하나로 결정되지 않는다.
③ 세 각의 크기가 주어지면 삼각형은 하나로 결정된다.
④ 세 각의 크기가 주어지면 삼각형은 하나로 결정되지 않는다.
⑤ 직각삼각형에서는 두 변의 길이가 주어지면 삼각형이 하나로 결정된다.

다음 그림의 △ABC와 △DEF에서 $\overline{AC}=\overline{DF}$, ∠A＝∠D일 때, △ABC≡△DEF이기 위해 필요한 조건을 모두 고르면? (정답 2개)

① ∠B＝∠F
② ∠C＝∠E
③ ∠C＝∠F
④ $\overline{AB}=\overline{DE}$
⑤ $\overline{BC}=\overline{EF}$

04 삼각형의 합동조건의 응용

Mstory1 Mstory2

M1 삼각형의 합동조건을 이용한 설명 🔘 개념강의

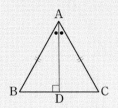

❶ 두 삼각형에서

❷ 삼각형의 합동 조건을 찾고

❸ 묻는 것에 답한다.

$\triangle ABD$와 $\triangle ACD$에서

$\overline{AB} = \overline{AC}$ ··· ㉠

$\angle BAD = \angle CAD$ ··· ㉡

$\overline{AD}$는 공통 ··· ㉢

㉠, ㉡, ㉢에 의하여

$\triangle ABD \equiv \triangle ACD$(SAS 합동)

$\therefore \angle B = \angle C$

M2 자주 이용되는 도형의 성질 🔘 개념강의

〈정사각형〉

〈정삼각형〉

〈이등변삼각형〉

〈직각삼각형〉

M3 작도에서의 원리 🔘 개념강의

〈각의 이등분선〉

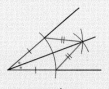

SSS 합동

〈크기가 같은 각〉

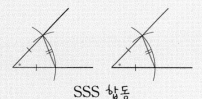

SSS 합동

〈선분의 수직이등분선〉

$\triangle PAQ \equiv \triangle PBQ$ (SSS 합동)

$\triangle APM \equiv \triangle BPM$ (SAS 합동)

│ 삼각형의 합동조건을 이용한 설명

13

다음은 $\overline{AC}$와 $\overline{BD}$의 교점이 O이고 $\overline{OA}=\overline{OC}$, $\overline{OB}=\overline{OD}$
일 때, $\triangle OAB \equiv \triangle OCD$임을 보인 것이다. (개), (내), (대)에
알맞은 것을 써넣으시오.

$\triangle OAB$와 $\triangle OCD$에서
$\overline{OA}=\overline{OC}$, $\overline{OB}=\overline{OD}$,
$\angle AOB = \boxed{\text{(개)}}$ ($\boxed{\text{(내)}}$)
$\therefore \triangle OAB \equiv \triangle OCD$
($\boxed{\text{(대)}}$ 합동)

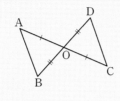

 │ 정삼각형의 성질을 이용한 설명

14

다음은 그림의 정삼각형 ABC에 대하여 $\overline{BD}=\overline{CE}$일 때,
$\triangle ABD \equiv \triangle BCE$임을 보이는 과정이다. (개), (내), (대)에 알
맞은 것을 써넣으시오.

$\triangle ABD$와 $\triangle BCE$에서
$\triangle ABC$는 정삼각형이므로
$\overline{AB} = \boxed{\text{(개)}}$,
$\angle ABD = \boxed{\text{(내)}} = 60°$
$\overline{BD}=\overline{CE}$
$\therefore \triangle ABD \equiv \triangle BCE$ ($\boxed{\text{(대)}}$ 합동)

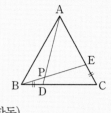

13

다음 그림에서 $\overline{AD}$와 $\overline{BC}$의 교점을 O라 하자. $\overline{AB} /\!/ \overline{CD}$,
$\overline{AO}=\overline{DO}$일 때, $\triangle ABO$와 합동인 삼각형을 찾고, 그 합
동조건을 말하시오.

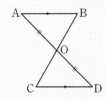

14

오른쪽 그림의 정삼각형 ABC에서
$\overline{BD}=\overline{CE}$일 때, 다음 중 옳지 <u>않은</u>
것은?

① $\overline{AB}=\overline{BC}$

② $\overline{AD}=\overline{BE}$

③ $\angle ABD = \angle BCE$

④ $\angle BAD = \angle CBE$

⑤ $\triangle ABD$와 $\triangle BCE$는 SSS 합동이다.

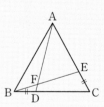

유형 | 정사각형의 성질을 이용한 설명

15

다음 그림의 정사각형 ABCD에서 $\overline{CE}=\overline{DF}$일 때, 합동인 두 삼각형을 찾고, 그 합동조건을 말하시오.

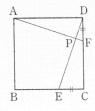

유형 | 작도에서의 원리

16

다음은 ∠XOY와 크기가 같고 $\overrightarrow{PQ}$를 한 변으로 하는 각을 작도하였을 때, △AOB≡△CPD임을 보인 것이다.
(개)~(래)에 알맞은 것을 써넣으시오.

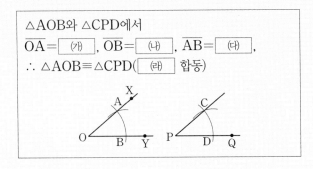

△AOB와 △CPD에서
$\overline{OA}=$ (개) , $\overline{OB}=$ (나) , $\overline{AB}=$ (다) ,
∴ △AOB≡△CPD((래) 합동)

15

다음 그림에서 □ABCD와 □CEFG는 정사각형이다. $\overline{CD}=9\,cm$, $\overline{CE}=12\,cm$, $\overline{DE}=15\,cm$일 때, $\overline{BG}$의 길이를 구하시오.

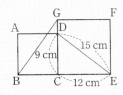

16

다음은 ∠XOY의 이등분선 위의 한 점 P에서 $\overrightarrow{OX}$, $\overrightarrow{OY}$에 내린 수선의 발을 각각 A, B라 할 때, △AOP≡△BOP임을 보인 것이다. (개), (나), (다)에 알맞은 것을 써넣으시오.

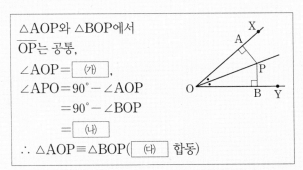

△AOP와 △BOP에서
$\overline{OP}$는 공통,
∠AOP= (개) ,
∠APO=90°−∠AOP
  =90°−∠BOP
  = (나)
∴ △AOP≡△BOP((다) 합동)

🏷 **Tip** : 페이지 번호를 클릭하면 **스마트매쓰⁺**를 이용하실 수 있어요!

+MEMO

라디오 수타

라디오 방송 형식으로
배운 내용을 재미있게
수학타파하는 코너

13

다음 그림에서 $\overline{AD}$, $\overline{BC}$가 원 O의 지름일 때, △AOC와 합동인 삼각형을 찾고, 그 합동조건을 말하시오.

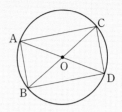

14

다음 그림에서 $\overline{AD}$ 위에 점 E가 있고 △ABC와 △BDE는 정삼각형이다. △ABE와 합동인 삼각형을 찾고, 그 합동조건을 말하시오.

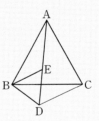

꽐

15

다음 그림과 같이 정사각형 ABCD의 대각선 BD 위에 점 E를 잡아 $\overline{AE}$의 연장선과 $\overline{BC}$의 연장선의 교점을 F라 하자. ∠CFE=26°일 때, ∠BCE의 크기는?

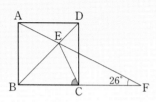

① 56° ② 60° ③ 64°
④ 68° ⑤ 72°

생각 ➕

다음 그림에서 △ABC와 △BED가 정삼각형일 때, $\overline{CD}+\overline{CE}$의 길이를 구하시오.

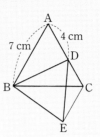

꽐

16

다음 그림과 같이 선분 AB의 수직이등분선 l 위에 점 P가 있다. $\overline{PA}=\overline{PB}$임을 삼각형의 합동조건을 이용하여 설명하시오.

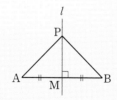

다음 그림에서 □ABCD는 정사각형이고
△ADE≡△CDG이다. □ABCD의 둘레의 길이가
△BGF의 둘레의 길이의 2배일 때, ∠FDG의 크기를 구
하시오.

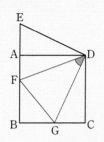

다음 그림에서 □ABCD와 □DEFG는 한 변의 길이가
다른 정사각형이다. $\overline{AE}$와 $\overline{CD}$의 교점을 H, $\overline{AE}$와 $\overline{CG}$의
교점을 I, $\overline{CG}$와 $\overline{DE}$의 교점을 J라 할 때, ∠CIE의 크기
를 구하시오.

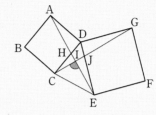

단원 종합 문제

〈1번부터 16번까지는 각 문항당 4점입니다.〉

01

다음 〈보기〉 중 컴퍼스를 사용하여 작도할 수 있는 것을 모두 고르시오.

〈 보기 〉

ㄱ. 주어진 선분을 연장한다.
ㄴ. 두 선분의 길이를 비교한다.
ㄷ. 두 점을 연결하는 선분을 그린다.
ㄹ. 선분의 길이를 다른 직선 위로 옮긴다.
ㅁ. 주어진 선분의 길이를 반지름으로 하는 원을 그린다.

02

다음과 같은 과정으로 길이가 12cm인 선분 AB 위에 점 O를 작도하였을 때, $\overline{OB}$의 길이를 구하시오.

㉠ 점 A를 중심으로 반지름의 길이가 7cm인 원을 그린다.
㉡ 점 B를 중심으로 반지름의 길이가 7cm인 원을 그린다.
㉢ 두 원의 교점을 각각 P, Q라 하고 점 P, Q를 지나는 직선을 그린다.
㉣ 이때, 선분 AB와 직선 PQ가 만나는 점을 O라 한다.

03

다음 그림에서 $\overline{AB}$, $\overline{BC}$, $\overline{CD}$에 이르는 거리가 같은 점 P를 구하려고 할 때, 필요한 작도 방법은?

① 각의 이등분선의 작도
② 크기가 같은 각의 작도
③ 선분의 수직이등분선의 작도
④ 수선의 작도
⑤ 평행선의 작도

04

아래 그림은 직선 l 밖의 한 점 P를 지나고 직선 l과 평행한 직선 m을 작도한 순서를 나타낸 것이다. 다음 중 $\overline{BC}$와 길이가 같은 선분은?

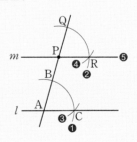

① $\overline{AB}$
② $\overline{AC}$
③ $\overline{PQ}$
④ $\overline{QR}$
⑤ $\overline{PB}$

Tip : 페이지 번호를 클릭하면 스마트매쓰⁺를 이용하실 수 있어요!

05

다음 중 눈금 없는 자와 컴퍼스만으로 작도할 수 없는 각은?

① 105°   ② 80°   ③ 60°

④ 37.5°   ⑤ 15°

06

다음 그림과 같이 길이가 a, b, c인 세 선분으로 △ABC를 작도할 때 이용되는 작도 방법은? (단, $a < b + c$)

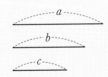

① 수선의 작도
② 각의 이등분선의 작도
③ 길이가 같은 선분의 작도
④ 크기가 같은 각의 작도
⑤ 선분의 수직이등분선의 작도

07

삼각형의 세 변의 길이가 $4\,\mathrm{cm}$, $x\,\mathrm{cm}$, $11\,\mathrm{cm}$일 때, x의 값이 될 수 있는 모든 자연수 x의 개수를 구하시오.

08

△ABC에서 $\overline{AB}$의 길이와 다음 조건이 주어졌을 때, 삼각형이 하나로 결정되지 않는 것은?

① ∠A, ∠B의 크기
② ∠A의 크기, $\overline{AC}$의 길이
③ ∠B의 크기, $\overline{BC}$의 길이
④ ∠B의 크기, $\overline{CA}$의 길이
⑤ $\overline{AC}$, $\overline{BC}$의 길이

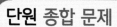

09

다음 그림에서 △ABC≡△DEF일 때, $\overline{AB}$의 대각의 대응각을 말하시오.

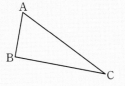
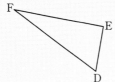

10

다음 그림에서 △ABC≡△DEF일 때, $x+y$의 값은?

① 56　　　② 57　　　③ 61

④ 62　　　⑤ 63

11

다음 그림과 같이 점 A와 점 C는 각각 $\overline{OB}$, $\overline{OD}$ 위에 있다. $\overline{OA}=\overline{OC}$, $\overline{AB}=\overline{CD}$일 때, △AOD와 합동인 삼각형을 찾고, 그 합동조건을 말하시오.

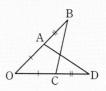

12

다음 그림의 정삼각형 ABC에서 $\overline{AD}=\overline{BE}=\overline{CF}$일 때, ∠DEF의 크기를 구하시오.

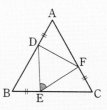

Tip : 페이지 번호를 클릭하면 스마트매스 를 이용하실 수 있어요!

13

다음 그림과 같이 두 정사각형 □ABCD와 □CFGE에서 $\overline{AB}=12\,cm$일 때, △CFD의 넓이는?

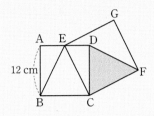

① $72\,cm^2$ ② $74\,cm^2$ ③ $76\,cm^2$

④ $78\,cm^2$ ⑤ $80\,cm^2$

14

다음 그림에서 □ABCD는 정사각형이고, △EBC는 정삼각형일 때, $\angle a+\angle b$의 크기를 구하시오.

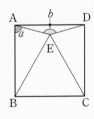

15

다음 그림에서 □ABCD는 정사각형이고, 대각선 AC 위에 점 E를 잡아 $\overline{DE}$의 연장선과 $\overline{BC}$의 연장선의 교점을 F라 하자. $\angle DFC=35°$일 때, $\angle EBC$의 크기를 구하시오.

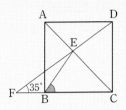

16

다음 그림과 같이 △ABC는 정삼각형이고, $\overrightarrow{BC}$의 연장선 위의 한 점 D를 잡아 $\angle ABC$의 이등분선과 $\overline{AD}$의 교점을 E라 하자. $\angle D=45°$일 때, $\angle ACE$의 크기를 구하시오.

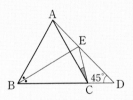

17

아래 그림과 같이 $\overline{BD}$ 위에 한 점 C를 잡고 두 정삼각형의 ABC와 CDE를 그렸다. 다음 물음에 답하시오. [총 6점]

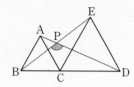

(1) △ACD와 합동인 삼각형을 찾고, 그 합동조건을 말하시오. [3점]

(2) ∠BPD의 크기를 구하시오. [3점]

18

$\overline{AB}=6\,cm$, $\overline{AC}=5\,cm$, $\angle B=40°$인 조건으로 작도할 수 있는 삼각형 ABC의 개수를 a개, 한 변의 길이가 $7\,cm$, 두 내각의 크기가 $30°$, $60°$인 조건으로 작도할 수 있는 삼각형의 개수는 b개일 때, $a+b$의 값을 구하시오.

[10점]

Tip : 페이지 번호를 클릭하면 스마트매쓰⁺를 이용하실 수 있어요!

19

다음 그림과 같이 한 변의 길이가 $8\,\mathrm{cm}$인 두 정사각형 ABCD와 EGHI가 있다. 점 E가 $\overline{AC}$와 $\overline{BD}$의 교점일 때, 두 정사각형의 겹쳐진 부분의 넓이를 구하시오. [10점]

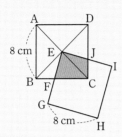

20

다음 그림과 같은 정사각형 ABCD의 변 BC, CD 위에 $\angle EAF = 45^\circ$, $\angle AEF = 70^\circ$가 되도록 점 E, F를 잡을 때, $\angle AFD$의 크기를 구하시오. [10점]

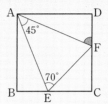

Ⅲ

다각형

☑ 학습 계획 및 성취도 체크

· 유형 이해도에 따라 ☐ 안에 ○, △, X를 표시합니다.

· 시험 전에 X 표시한 유형은 반드시 한 번 더 풀어 봅니다.

01 삼각형의 내각과 외각

	학습 계획	1차 학습	2차 학습
유형 01 다각형	/	☐	☐
유형 02 정다각형	/	☐	☐
유형 03 삼각형의 세 내각의 크기의 합	/	☐	☐
유형 04 삼각형의 한 외각의 크기	/	☐	☐

02 다각형의 내각과 외각

	학습 계획	1차 학습	2차 학습
유형 05 다각형의 내각의 크기의 합	/	☐	☐
유형 06 다각형의 내각과 외각의 크기의 합	/	☐	☐
유형 07 다각형의 외각의 크기의 합	/	☐	☐
유형 08 오목다각형에서의 각의 크기	/	☐	☐

03 다각형의 대각선

	학습 계획	1차 학습	2차 학습
유형 09 정다각형의 한 내각의 크기	/	☐	☐
유형 10 정다각형의 한 외각의 크기	/	☐	☐
유형 11 한 꼭짓점에서 그을 수 있는 대각선의 개수	/	☐	☐
유형 12 대각선의 총 개수	/	☐	☐

III 다각형

1 다각형

1. 다각형과 정다각형

(1) **다각형**: 세 개 이상의 선분으로 둘러싸인 평면도형

① 변: 다각형을 이루는 각 선분

② 꼭짓점: 다각형의 각 선분의 끝점

③ 내각: 이웃하는 두 변으로 이루어진 각

④ 외각: 다각형의 각 꼭짓점에서 한 변과 그 변에 이웃하는 변의 연장선이 이루는 각

> 참고 선분이 3개, 4개, $\cdots$, n개인 다각형을 각각 삼각형, 사각형, $\cdots$, n각형이라 한다.

(2) **정다각형**: 모든 변의 길이가 같고, 모든 내각의 크기가 같은 다각형

> 참고 정다각형은 변의 개수에 따라 정삼각형, 정사각형, 정오각형, $\cdots$, 정n각형이라 한다.

2. 삼각형의 외각

(1) 삼각형의 한 외각의 크기는 그와 이웃하지 않는 두 내각의 크기의 합과 같다.

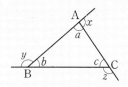

$$\angle x=\angle b+\angle c,\ \angle y=\angle a+\angle c,\ \angle z=\angle a+\angle b$$

(2) 삼각형의 세 외각의 크기의 합은 $360°$이다.

3. 다각형의 내각의 크기의 합

n각형의 내각의 크기의 합은 $180°\times(n-2)$이다.

> 참고 n각형의 내부의 한 점에서 각 꼭짓점에 선분을 그으면 n개의 삼각형으로 나누어진다.
> 이때, 내부의 한 점에 대한 내각의 크기의 합이 $360°$이므로 (n각형의 내각의 크기의 합)$=180°\times n-360°$

4. 다각형의 외각의 크기의 합

모든 다각형의 외각의 크기의 합은 꼭짓점의 개수와 관계없이 항상 $360°$이다.

> 참고 n각형은 n개의 외각이 있고, 또 한 꼭짓점에서의 내각과 외각의 크기의 합은 항상 $180°$이므로 외각의 크기의 합은 n개의 평각의 합에서 n각형의 내각의 크기의 합을 뺀 것과 같다.
> (n각형의 외각의 크기의 합)$=180°\times n-($n$각형의 내각의 크기의 합)$=360°$

2 정다각형

1. 정다각형의 한 내각, 한 외각의 크기

(1) 정다각형의 한 내각의 크기: 정다각형의 내각의 크기는 모두 같으므로 정n각형의 한 내각의 크기는 정다각형의 내각의 크기의 합을 내각의 개수로 나눈 것과 같다.

$$(정 n각형의 한 내각의 크기)=\frac{180°\times(n-2)}{n}$$

(2) 정다각형의 한 외각의 크기: 정다각형의 외각의 크기는 모두 같으므로 정n각형의 한 외각의 크기는 $360°$를 꼭짓점의 개수로 나눈 것과 같다.

$$(정 n각형의 한 외각의 크기)=\frac{360°}{n}$$

3 다각형의 대각선

1. 다각형의 대각선

(1) 대각선: 다각형에서 이웃하지 않는 두 꼭짓점을 이은 선분

(2) 대각선의 개수

① n각형의 한 꼭짓점에서 그을 수 있는 대각선의 개수

➡ $(n-3)$개 (단, $n\geq4$)

대각선

② n각형의 대각선의 총 개수

➡ $\dfrac{n(n-3)}{2}$개 (단, $n\geq4$)

참고 n각형에서 자기 자신과 이웃하는 2개의 꼭짓점에는 대각선을 그을 수 없으므로 n각형의 한 꼭짓점에서 그을 수 있는 대각선의 개수는 전체 꼭짓점의 개수 n에서 3을 뺀 $(n-3)$개이다.

따라서 n개의 각 꼭짓점에서 그을 수 있는 대각선의 개수의 총합은 $n(n-3)$개이다.

그런데 이 개수는 한 대각선을 두 번씩 계산한 것이므로 n각형의 대각선의 총 개수는 $\dfrac{n(n-3)}{2}$개이다.

01 삼각형의 내각과 외각

Mstory1 Mstory2

M1 다각형과 정다각형 🔘 개념강의

세 개 이상의 선분으로 둘러싸인 평면도형

삼각형   사각형   오각형   ···   n각형

변, 꼭짓점, 내각: n개

꼭짓점
변
내각
외각

한 꼭짓점에서
(내각의 크기)+(외각의 크기)=180°

변&내각   변   내각

마름모   직사각형

M2 삼각형의 내각 🔘 개념강의

  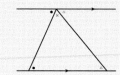

➡ 삼각형의 세 내각의 크기의 합은 180°이다.

M3 삼각형의 외각 🔘 개념강의

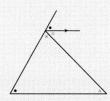

삼각형의 한 외각의 크기는 그와 이웃하지 않은
두 내각의 크기의 합과 같다.

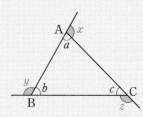

$$\begin{cases} \angle x = \angle b + \angle c \\ \angle y = \angle c + \angle a \\ + \angle z = \angle a + \angle b \end{cases}$$

$$\therefore \angle x + \angle y + \angle z = 2(\underbrace{\angle a + \angle b + \angle c}_{180°}) = 360°$$

정답 및 해설 p. 30

 | 다각형

01

다음 다각형에 대한 설명 중 옳은 것을 모두 고르면?

(정답 2개)

① 모든 다각형은 대각선을 그을 수 있다.
② 다각형의 변의 개수와 꼭짓점의 개수는 같다.
③ 두 개 이상의 선분으로 둘러싸인 평면도형을 다각형이라 한다.
④ 다각형의 한 꼭짓점에서 내각과 외각의 크기의 합은 360°이다.
⑤ 다각형의 외각은 한 꼭짓점에 대하여 두 개씩 있고, 그 크기가 서로 같다.

學

01

다음 중 다각형인 것은?

①   ②

③   ④

⑤

유형 | 정다각형

02

다음 조건을 모두 만족시키는 다각형을 말하시오.

> ㈎ 모든 변의 길이가 같다.
> ㈏ 모든 내각의 크기가 같다.
> ㈐ 8개의 선분으로 둘러싸여 있다.

學

02

다음 〈보기〉 중 옳은 것을 모두 고른 것은?

< 보기 >

> ㄱ. 정다각형은 모든 내각의 크기가 같다.
> ㄴ. 세 내각의 크기가 같은 삼각형은 정삼각형이다.
> ㄷ. 모든 변의 길이가 같은 다각형은 정다각형이다.

① ㄱ　　　　② ㄷ　　　　③ ㄱ, ㄴ
④ ㄴ, ㄷ　　　⑤ ㄱ, ㄴ, ㄷ

유형 | 삼각형의 세 내각의 크기의 합

03

다음은 △ABC의 세 내각의 크기의 합이 180°임을 보이는 과정이다. □ 안에 알맞은 것을 써넣으시오.

△ABC의 꼭짓점 A를 지나고 $\overline{BC}$에 평행한 직선 DE를 그으면
∠B= ☐ (엇각),
∠C=∠EAC(☐)
∴ ∠A+∠B+∠C
  =∠BAC+ ☐ +∠EAC
  = ☐

유형 | 삼각형의 한 외각의 크기

04

다음 그림에서 ∠x의 크기를 구하시오.

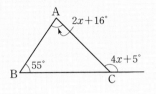

學

03

△ABC에서 ∠B의 크기는 ∠A의 크기의 3배이고, ∠C의 크기는 ∠A의 크기의 2배보다 12°만큼 작다고 할 때, ∠A의 크기는?

① 30° ② 31° ③ 32°
④ 33° ⑤ 34°

學

04

다음 그림에서 $\overline{AB}=\overline{AC}=\overline{CD}=\overline{DE}$이고 ∠FDE가 직각일 때, ∠$x$의 크기를 구하시오.

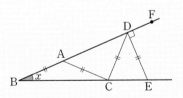

Tip : 페이지 번호를 클릭하면 스마트매스+를 이용하실 수 있어요!

+MEMO

라디오 수타
라디오 방송 형식으로
배운 내용을 재미있게
수확타파하는 코너

01

다음 〈보기〉 중 다각형인 것의 개수는?

┌─────── 〈 보기 〉 ───────┐
ㄱ. 원   ㄴ. 십이각형   ㄷ. 정육면체
ㄹ. 각   ㅁ. 원기둥   ㅂ. 정오각형
└──────────────────────────┘

① 1개   ② 2개   ③ 3개
④ 4개   ⑤ 5개

02

다음 중 정다각형에 대한 설명으로 옳은 것을 모두 고르면?
(정답 2개)

① 세 변의 길이가 같은 삼각형은 정삼각형이다.
② 네 내각의 크기가 같은 사각형은 정사각형이다.
③ 정다각형은 모든 변의 길이가 같다.
④ 모든 내각의 크기가 같은 다각형은 정다각형이다.
⑤ 꼭짓점의 개수가 6개인 다각형을 정육각형이라 한다.

03

삼각형의 세 내각의 크기의 비가 $1 : 5 : 9$일 때, 가장 큰 각의 크기를 구하시오.

생각 ➕

다음 그림과 같은 $\triangle ABC$에서 $\angle B$, $\angle C$의 이등분선의 교점을 I라 하자. $\angle A = 70°$일 때, $\angle x$의 크기는?

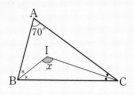

① $120°$　　② $125°$　　③ $130°$

④ $135°$　　⑤ $140°$

04

다음 그림에서 $\angle x + \angle y$의 크기는?

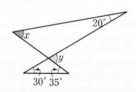

① $100°$　　② $105°$　　③ $110°$

④ $115°$　　⑤ $120°$

생각 ++

다음 그림에서 ∠a+∠b의 크기는?

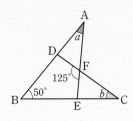

① 60°　　　　② 65°　　　　③ 70°

④ 75°　　　　⑤ 80°

생각 +++

다음 그림에서 ∠a+∠b+∠c+∠d+∠e의 크기를 구하시오.

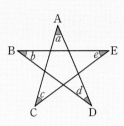

02 다각형의 내각과 외각

Mstory1 Mstory2

M1 볼록다각형과 오목다각형 ⊛ 개념강의

볼록오각형   오목오각형

한 곳이라도 오목한 부분이 있으면 오목다각형
(내각의 크기)>180°

M2 다각형의 내각의 크기의 합 180° ⊛ 개념강의

n각형의 내각의 크기의 합 ➡ $180° \times (n-2)$

다각형	사각형	오각형	육각형	...	n각형
내부의 한 점과 각 꼭짓점을 잇는 선분을 그어 만들어지는 삼각형의 개수	4개	5개	6개	...	n개
내부의 한 점에 모인 각의 크기의 합	360°	360°	360°	...	360°
내각의 크기의 합	$180° \times 4 - 360°$ $= 180° \times (4-2)$ $= 360°$	$180° \times 5 - 360°$ $= 180° \times (5-2)$ $= 540°$	$180° \times 6 - 360°$ $= 180° \times (6-2)$ $= 720°$	...	$180° \times n - 360°$ $= 180° \times (n-2)$

M3 다각형의 외각의 크기의 합 ⊛ 개념강의

n각형의 외각의 크기의 합 ➡ 항상 360°

오각형

$180° \times 5 - 180° \times (5-2)$
$= 180° \times (5-3)$
$= 360°$

➡ n각형

$\left(\begin{matrix}내각의 \\ 크기의 합\end{matrix}\right) + \left(\begin{matrix}외각의 \\ 크기의 합\end{matrix}\right) = 180° \times n$

$\left(\begin{matrix}내각의 \\ 크기의 합\end{matrix}\right) = 180° \times (n-2)$

$\left(\begin{matrix}외각의 \\ 크기의 합\end{matrix}\right) = 180° \times \{n - (n-2)\}$
$= 360°$

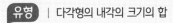 | 다각형의 내각의 크기의 합

05

다음 중 내각의 크기의 합이 $900°$인 다각형은?

① 오각형　　② 육각형　　③ 칠각형
④ 팔각형　　⑤ 구각형

 | 다각형의 내각과 외각의 크기의 합

06

내각과 외각의 크기를 모두 더한 값이 $1620°$인 다각형의 꼭짓점의 개수는?

① 6개　　　② 7개　　　③ 8개
④ 9개　　　⑤ 10개

05

다음 그림의 육각형에서 $\angle x$의 크기는?

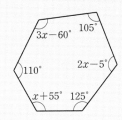

① $50°$　　　② $55°$　　　③ $60°$
④ $65°$　　　⑤ $70°$

06

다음은 n각형의 외각의 크기의 합을 구하는 과정이다.
□ 안에 알맞은 것을 써넣으시오.

(내각의 크기의 합)+(외각의 크기의 합)= [　(가)　]
이므로
(외각의 크기의 합)= [　(가)　] $-180° \times ($ [　(나)　] $)$
　　　　　　　　　= [　(다)　]

유형 | 다각형의 외각의 크기의 합

07

다음 그림에서 ∠x의 크기는?

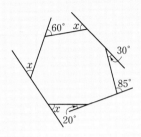

① 35°　　② 40°　　③ 45°

④ 50°　　⑤ 55°

學

07

다음 그림에서 ∠x의 크기는?

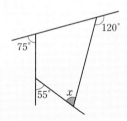

① 70°　　② 72°　　③ 74°

④ 76°　　⑤ 78°

유형 | 오목다각형에서의 각의 크기

08

다음 그림에서 ∠x의 크기를 구하시오.

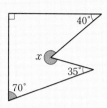

學

08

다음 그림에서 ∠x의 크기는?

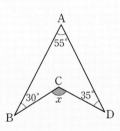

① 110°　　② 115°　　③ 120°

④ 125°　　⑤ 130°

Tip : 페이지 번호를 클릭하면 스마트매쓰⁺를 이용하실 수 있어요!

+MEMO

라디오 수타

라디오 방송 형식으로
배운 내용을 재미있게
수학타파하는 코너

05

내각의 크기의 합이 1980°인 다각형의 변의 개수는?

① 9개   ② 10개   ③ 11개

④ 12개   ⑤ 13개

06

내각과 외각의 크기를 모두 더한 값이 1440°인 다각형의 내각의 개수를 구하시오.

꼼
07

다음 그림과 같이 오각형의 변을 연장한 그림에서 $\angle x$의 크기를 구하시오.

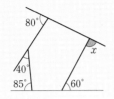

생각➕

다음은 오른쪽 그림과 같은 오각형의 내각의 크기의 합을 구하는 과정이다. ㈎~㈒에 알맞은 것을 써넣으시오.

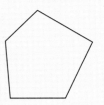

오각형의 한 꼭짓점에서 이웃하지 않는 꼭짓점과 연결한 ㈎ 개의 선분에 의해 생기는 삼각형의 개수는 ㈏ 개이다.
따라서 오각형의 내각의 크기의 합은
$180° \times$ ㈐ $=$ ㈒ 이다.

꼼
08

다음 그림에서 $\angle x$의 크기는?

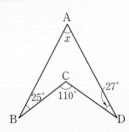

① 52°   ② 54°   ③ 56°

④ 58°   ⑤ 60°

생각 ++

달팽이가 전진하다가 오른쪽 방향으로 $10°$만큼 회전하였다. 다시 전진하다가 오른쪽 방향으로 $20°$만큼 회전하였다. 다시 전진하다가 오른쪽 방향으로 $30°$만큼 회전하였다. 이와 같은 과정을 계속하여 n번째에도 전진하다가 오른쪽 방향으로 $n \times 10°$만큼 회전하였다. 이를 반복할 때, 달팽이가 처음과 같은 방향으로 움직이기 시작하는 것은 몇 번 회전한 다음인지 구하시오.

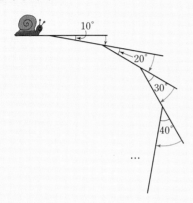

생각 +++

다음 그림에서 $\angle a + \angle b + \angle c + \angle d + \angle e + \angle f + \angle g$의 크기를 구하시오.

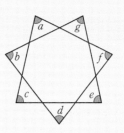

03 다각형의 대각선

Mstory1 Mstory2

M1 정다각형의 내각과 외각의 크기 ⊛ 개념강의

정삼각형

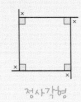
정사각형

정오각형

...

정n각형

- 내각의 크기의 합: $180° \times (n-2)$
- 한 내각의 크기: $\dfrac{180° \times (n-2)}{n}$

- 외각의 크기의 합: $360°$
- 한 외각의 크기: $\dfrac{360°}{n}$

M2 다각형의 대각선 ⊛ 개념강의

(단위: 개)

다각형	삼각형	사각형	오각형	...	n각형
꼭짓점의 개수	3	4	5	...	n
한 꼭짓점에서 그을 수 있는 대각선의 개수	$3-3=0$	$4-3=1$	$5-3=2$	...	$n-3$
대각선의 총 개수	$\dfrac{3 \times 0}{2}=0$	$\dfrac{4 \times 1}{2}=2$	$\dfrac{5 \times 2}{2}=5$	...	$\dfrac{n(n-3)}{2}$

n각형의 대각선의 총 개수 ➡ $\dfrac{n(n-3)}{2}$

꼭짓점의 개수
한 꼭짓점에서 그을 수 있는 대각선의 개수
중복

유형 | 정다각형의 한 내각의 크기

09

다음 그림과 같은 정육각형에서 두 대각선 CE, FD의 교점을 G라 할 때, ∠x의 크기를 구하시오.

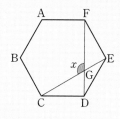

 유형 | 정다각형의 한 외각의 크기

10

다음 그림과 같이 정오각형 ABCDE의 두 변 AE와 CD의 연장선의 교점을 O라 할 때, ∠x의 크기를 구하시오.

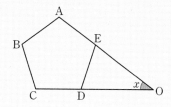

 學

09

다음 그림의 정오각형에서 ∠x + ∠y의 크기는?

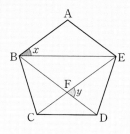

① 72°　　② 96°　　③ 108°

④ 112°　　⑤ 128°

 學

10

한 내각의 크기와 한 외각의 크기의 비가 5 : 1인 정다각형의 한 내각의 크기를 구하시오.

03 다각형의 대각선

 유형 | 한 꼭짓점에서 그을 수 있는 대각선의 개수

11

한 꼭짓점에서 그을 수 있는 대각선의 개수가 12개이고, 모든 변의 길이와 모든 내각의 크기가 각각 같은 다각형을 구하시오.

유형 | 대각선의 총 개수

12

대각선의 총 개수가 14개인 다각형은?

① 칠각형   ② 팔각형   ③ 구각형

④ 십각형   ⑤ 십일각형

 學

11

다음 그림과 같이 9명의 학생이 원탁에 둘러앉아 있다. 양쪽 옆에 앉은 사람을 제외한 모든 사람과 한 번씩 악수를 할 때 한 사람이 악수를 하는 횟수를 구하시오.

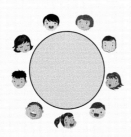

學

12

변의 개수와 꼭짓점의 개수의 합이 30개인 다각형의 대각선의 총 개수는?

① 90개   ② 94개   ③ 100개

④ 112개   ⑤ 119개

+MEMO

라디오 수타
라디오 방송 형식으로
배운 내용을 재미있게
수학타파하는 코너

09

다음 그림과 같은 정팔각형에서 두 대각선 AG, BH의 교점을 I라 할 때, $\angle a + \angle b$의 크기는?

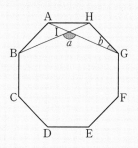

① 155.5°　　② 156°　　③ 156.5°

④ 157°　　⑤ 157.5°

10

한 내각의 크기와 한 외각의 크기의 비가 7 : 2인 정다각형은?

① 정팔각형　　　② 정구각형

③ 정십각형　　　④ 정십일각형

⑤ 정십이각형

껌

11

한 꼭짓점에서 그을 수 있는 대각선의 개수가 7개인 다각형은?

① 팔각형　　　② 구각형　　　③ 십각형

④ 십일각형　　⑤ 십이각형

생각 ✚

다음 〈보기〉 중 옳은 것을 모두 고른 것은?

〈 보기 〉

ㄱ. 정다각형의 꼭짓점의 개수가 많을수록 한 내각의 크기는 커진다.

ㄴ. 정다각형의 변의 개수가 많을수록 한 외각의 크기는 커진다.

ㄷ. 모든 정다각형은 한 내각의 크기가 한 외각의 크기 보다 더 크다.

① ㄱ　　　　　② ㄴ　　　　　③ ㄱ, ㄴ

④ ㄱ, ㄷ　　　⑤ ㄴ, ㄷ

껌

12

다음 조건을 모두 만족시키는 다각형을 말하시오.

㈎ 모든 변의 길이가 같다.

㈏ 모든 내각의 크기가 같다.

㈐ 대각선의 총 개수는 54개이다.

생각 ➕➕

다음 그림과 같이 6개의 마을이 버스 노선으로 연결되어 있다. 이때, 모든 마을들이 서로 직통으로 연결되는 버스 노선을 설치한다면 추가로 필요한 버스 노선은 모두 몇 개인지 구하시오.

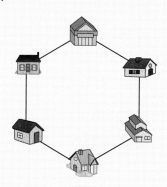

 생각 ➕➕➕

정다각형 모양의 타일을 빈틈없이 바닥에 깔려고 할 때, 사용할 수 있는 타일의 모양은 아래와 같은 정삼각형, 정사각형, 정육각형뿐이다. 그 이유를 설명하시오.

단원 종합 문제

〈1번부터 16번까지는 각 문항당 4점입니다.〉

01

다음 중 옳지 <u>않은</u> 것은?

① 다각형은 3개 이상의 선분으로 둘러싸인 평면도형이다.

② 정다각형은 모든 내각의 크기가 같다.

③ 세 변의 길이가 같은 삼각형은 정삼각형이다.

④ 한 다각형에서 변의 개수와 꼭짓점의 개수는 같다.

⑤ 정다각형에서 한 내각의 크기와 한 외각의 크기가 서로 같다.

02

다음 그림에서 $\angle x$의 크기는?

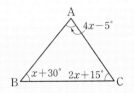

① $15°$ ② $20°$ ③ $25°$

④ $30°$ ⑤ $35°$

03

다음 그림에서 $\angle x$의 크기는?

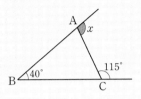

① $100°$ ② $105°$ ③ $110°$

④ $115°$ ⑤ $120°$

04

다음 그림에서 $\angle x$의 크기와 같은 것은?

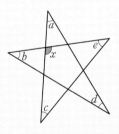

① $\angle a + \angle c$ ② $\angle b + \angle d$

③ $\angle a + \angle c + \angle e$ ④ $\angle a + \angle b + \angle c$

⑤ $\angle a + \angle b + \angle d$

Tip : 페이지 번호를 클릭하면 스마트메스⁺를 이용하실 수 있어요!

05

다음 그림과 같은 △ABC에서 점 D는 ∠B의 이등분선과 ∠C의 외각의 이등분선의 교점이다. ∠A＝62°일 때, ∠x 의 크기를 구하시오.

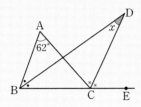

06

다음 그림의 오각형 ABCDE에서 ∠x의 크기는?

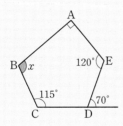

① 100°　　② 105°　　③ 110°
④ 115°　　⑤ 120°

07

다음 그림에서 ∠x의 크기를 구하시오.

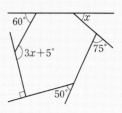

08

다음 그림에서
∠a＋∠b＋∠c＋∠d＋∠e＋∠f＋∠g＋∠h＋∠i＋∠j
의 크기는?

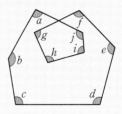

① 840°　　② 900°　　③ 960°
④ 1020°　　⑤ 1080°

09

한 변의 길이가 같은 정사각형, 정오각형, 정육각형을 다음 그림과 같이 붙여 놓았을 때, $\angle x$의 크기는?

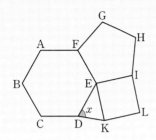

① 68°　　② 69°　　③ 70°

④ 71°　　⑤ 72°

10

내각의 크기의 합이 1440°인 정다각형의 한 외각의 크기는?

① 30°　　② 36°　　③ 40°

④ 45°　　⑤ 60°

11

한 외각의 크기가 한 내각의 크기보다 100°만큼 작은 정다각형은?

① 정육각형　　② 정칠각형　　③ 정팔각형

④ 정구각형　　⑤ 정십각형

12

다음 그림과 같이 정다각형의 연속하는 네 꼭짓점 A, B, C, D에서 그은 두 대각선 AC, BD가 이루는 각 중 예각의 크기를 $\angle x$라 할 때, $\angle x = 40°$를 만족하는 정다각형을 구하시오.

 ...

Tip : 페이지 번호를 클릭하면 스마트매쓰⁺를 이용하실 수 있어요!

13

다음 그림과 같이 $l \parallel m$일 때, 정오각형 ABCDE에서 $\angle x$의 크기는?

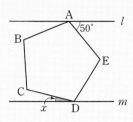

① 11°　　② 12°　　③ 13°

④ 14°　　⑤ 15°

14

어떤 다각형의 한 꼭짓점에서 그을 수 있는 대각선의 개수를 a개, 이때 생기는 삼각형의 개수를 b개라 하자. $a+b=25$일 때, 이 다각형의 변의 개수는?

① 13개　　②14개　　③15개

④ 16개　　⑤17개

15

대각선의 총 개수가 90개인 다각형이 있다. 이 다각형의 한 꼭짓점에서 그을 수 있는 대각선의 개수를 구하시오.

16

꼭짓점의 개수의 비가 1 : 2인 두 정다각형의 한 내각의 크기의 비가 3 : 4일 때, 변의 개수가 많은 정다각형의 대각선의 총 개수는?

① 35개　　② 38개　　③ 40개

④ 42개　　⑤ 45개

17

어떤 장난감 자동차가 아래와 같은 규칙으로 움직인다. 장난감 자동차가 이 과정을 8번 반복했더니 다시 처음 출발점의 위치로 돌아왔을 때, 다음 물음에 답하시오. [총 6점]

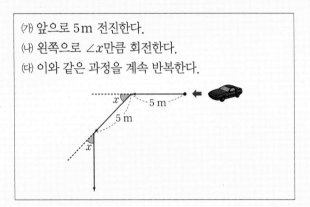

㉮ 앞으로 5 m 전진한다.

㉯ 왼쪽으로 ∠x만큼 회전한다.

㉰ 이와 같은 과정을 계속 반복한다.

(1) 장난감 자동차는 어떤 도형 위를 움직이는 것과 같은지 말하시오. [3점]

(2) ∠x의 크기를 구하시오. [3점]

18

한 내각의 크기가 144°인 정n각형의 한 꼭짓점에서 그을 수 있는 대각선의 개수를 x개, 대각선의 총 개수를 y개라 할 때, $n+x+y$의 값을 구하시오. [10점]

19

한 내각의 크기가 정수인 정다각형의 개수를 구하시오.

[10점]

20

다음 그림과 같이 내각의 크기가 모두 같은 육각형 ABCDEF에서 $\overline{BC}=x$, $\overline{CD}=y$일 때, $y-x$의 값을 구하시오. [10점]

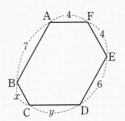

IV

원과 부채꼴

☑ 학습 계획 및 성취도 체크

· 유형 이해도에 따라 ☐ 안에 ◯, △, ✗를 표시합니다.

· 시험 전에 ✗ 표시한 유형은 반드시 한 번 더 풀어 봅니다.

01 원과 부채꼴의 성질

	학습 계획	1차 학습	2차 학습
유형 01 원과 부채꼴의 용어	/	☐	☐
유형 02 부채꼴과 중심각의 크기	/	☐	☐
유형 03 중심각의 크기와 호의 길이, 부채꼴의 넓이 사이의 관계	/	☐	☐
유형 04 중심각의 크기, 호의 길이, 부채꼴의 넓이 구하기	/	☐	☐

02 원의 둘레의 길이와 넓이

	학습 계획	1차 학습	2차 학습
유형 05 원의 둘레의 길이와 넓이	/	☐	☐
유형 06 원의 둘레의 길이의 응용	/	☐	☐
유형 07 원의 넓이의 응용	/	☐	☐
유형 08 원기둥을 묶은 끈의 길이 구하기	/	☐	☐

03 부채꼴의 호의 길이와 넓이

	학습 계획	1차 학습	2차 학습
유형 09 부채꼴의 호의 길이	/	☐	☐
유형 10 부채꼴의 넓이	/	☐	☐
유형 11 색칠한 부분의 둘레의 길이 구하기	/	☐	☐
유형 12 색칠한 부분의 넓이 구하기	/	☐	☐

IV 원과 부채꼴

1 원과 부채꼴

1. 원과 부채꼴

(1) **원**: 평면 위의 한 점 O로부터 일정한 거리에 있는 모든 점들로 이루어진 도형을 원이라 하고, 원 O로 나타낸다.

(2) **호 AB**: 원 O 위의 두 점 A, B를 양 끝점으로 하는 원의 일부분을 호 AB라 하고, 이것을 기호로 $\overset{\frown}{AB}$와 같이 나타낸다.

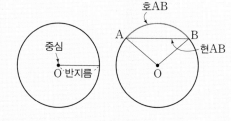

> 참고 $\overset{\frown}{AB}$는 보통 길이가 짧은 쪽의 호를 나타내고, 길이가 긴 쪽의 호는 그 호 위에 한 점 E를 잡아 $\overset{\frown}{AEB}$와 같이 나타낸다.

(3) **현 AB**: 원 O 위의 두 점 A, B를 이은 선분을 현 AB라 한다.

> 참고 한 원에서 길이가 가장 긴 현은 지름이다.

(4) **부채꼴**: 원 O의 두 반지름 OA, OB와 호 AB로 이루어진 도형을 부채꼴 AOB라 한다.

(5) **중심각**: 부채꼴 AOB의 두 반지름 OA, OB로 이루어지는 ∠AOB를 호 AB에 대한 중심각이라 한다.

(6) **활꼴**: 원 O의 호 CD와 현 CD로 이루어진 도형

> 참고 반원은 활꼴인 동시에 부채꼴이다.

2. 부채꼴의 성질

한 원 또는 합동인 두 원에서

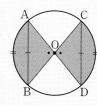

(1) 같은 크기의 중심각에 대한 호의 길이와 현의 길이, 부채꼴의 넓이는 각각 같다.

> 예 ∠AOB=∠COD이면 $\overset{\frown}{AB}=\overset{\frown}{CD}$, $\overline{AB}=\overline{CD}$,
> (부채꼴 AOB의 넓이)=(부채꼴 COD의 넓이)

(2) 부채꼴의 호의 길이와 넓이는 중심각의 크기에 정비례한다.

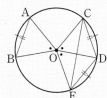

> 예 2∠AOB=∠COE이지만 2$\overset{\frown}{AB}$>$\overset{\frown}{CE}$

> 주의 현의 길이는 중심각의 크기에 정비례하지 않는다.

2 원과 부채꼴의 둘레의 길이와 넓이

1. 원의 둘레의 길이와 넓이

(1) 원주율: 원에서 지름의 길이에 대한 원의 둘레의 길이의 비의 값인 원주율을 기호로 π와 같이 나타내고, 이것을 '파이'라 읽는다.

$$(원주율) = \frac{(원의\ 둘레의\ 길이)}{(원의\ 지름의\ 길이)} = 3.141592\cdots = \pi$$

(2) 원의 둘레의 길이와 원의 넓이

반지름의 길이가 r인 원의 둘레의 길이를 l, 넓이를 S라 하면

$$l = 2\pi r,\ S = \pi r^2$$

> **예** 반지름의 길이가 4 cm인 원의 둘레의 길이 l과 넓이 S는 각각 다음과 같다.
> $l = 2\pi \times 4 = 8\pi(\mathrm{cm})$, $S = \pi \times 4^2 = 16\pi(\mathrm{cm}^2)$

2. 부채꼴의 호의 길이와 넓이

(1) 부채꼴의 호의 길이와 넓이

반지름의 길이가 r, 중심각의 크기가 $x°$인 부채꼴의 호의 길이를 l, 넓이를 S라 하면

① $l = 2\pi r \times \dfrac{x}{360}$

> **참고** 부채꼴의 호의 길이는 중심각의 크기에 정비례하므로 $360 : x = 2\pi r : l$

② $S = \pi r^2 \times \dfrac{x}{360}$

> **참고** 부채꼴의 넓이는 중심각의 크기에 정비례하므로 $360 : x = \pi r^2 : S$

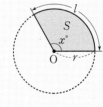

(2) 부채꼴의 호의 길이와 넓이 사이의 관계(부채꼴의 중심각의 크기를 모를 때)

반지름의 길이가 r인 부채꼴의 호의 길이를 l, 넓이를 S라 하면

$$S = \frac{1}{2}rl$$

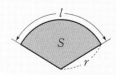

01 원과 부채꼴의 성질

Mstory1 Mstory2

M1 원과 부채꼴 ⊗ 개념강의

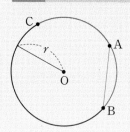

- 원: 평면 위의 한 점 O에서 일정한 거리에 있는 모든 점들로
  이루어진 도형   반지름 radius
  중심

- 호(弧): $\overset{\frown}{AB}$ (열호) $\overset{\frown}{ACB}$ (우호)

- 현(弦): $\overline{AB}$

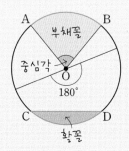

원의 중심을 지나는 현 → 원의 지름 → 길이가 가장 긴 현

중심각의 크기 180° ← 부채꼴 & 활꼴 ← 반원

M2 중심각의 크기 ⊗ 개념강의

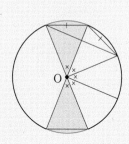

한 원 또는 합동인 두 원에서

- 중심각의 크기가 같으면
  호/현/부채꼴/활꼴/삼각형이 같다.

- 중심각의 크기와
  호/부채꼴은 정비례한다.
  참고 현/활꼴/삼각형은 정비례하지 않는다.

용어사전 ✂
- 부채꼴 sector   · 호(弧 활) arc   · 현 (弦 시위) chord   · 활꼴 segment of a circle
- 중심각 (中 가운데, 心 중앙, 角 각도) central angle

유형 | 원과 부채꼴의 용어

01

다음 빈칸에 알맞은 용어를 써넣으시오.

(1) [   ] : 평면 위의 한 점으로부터 일정한 거리에 있는 모든 점들로 이루어진 도형

(2) [   ] : 원 위의 두 점을 양 끝점으로 하는 원의 일부분

(3) [   ] : 원 위의 두 점을 이은 선분

유형 | 부채꼴과 중심각의 크기

02

한 원에서 부채꼴과 활꼴이 같아질 때, 중심각의 크기는?

① 60°   ② 90°   ③ 120°

④ 150°   ⑤ 180°

學

01

다음 중 옳지 않은 것은?

① 원에서 두 반지름과 호로 이루어진 도형은 부채꼴이다.

② 원에서 두 반지름으로 이루어진 각은 중심각이다.

③ 원에서 현과 호로 이루어진 활 모양의 도형은 활꼴이다.

④ 원의 중심을 지나는 현은 지름이다.

⑤ 중심각의 크기가 90°인 부채꼴은 반원이다.

學

02

반지름의 길이가 12 cm인 원에서 길이가 가장 긴 현의 길이를 구하시오.

유형 | 중심각의 크기와 호의 길이, 부채꼴의 넓이 사이의 관계

03

한 원 또는 합동인 두 원에 대한 다음 설명 중 옳지 <u>않은</u> 것은?

① 같은 크기의 중심각에 대한 호의 길이는 같다.

② 같은 크기의 중심각에 대한 현의 길이는 같다.

③ 호의 길이는 중심각의 크기에 정비례한다.

④ 현의 길이는 중심각의 크기에 정비례한다.

⑤ 부채꼴의 넓이는 중심각의 크기에 정비례한다.

유형 | 중심각의 크기, 호의 길이, 부채꼴의 넓이 구하기

04

오른쪽 그림에서 x, y의 값은?

① $x=12$, $y=60$

② $x=12$, $y=75$

③ $x=15$, $y=75$

④ $x=15$, $y=90$

⑤ $x=18$, $y=90$

學

03

오른쪽 그림의 원 O에서 $\angle COD=2\angle AOB$일 때, 다음 중 옳은 것을 모두 고르면? (정답 2개)

① $\overline{AB} /\!/ \overline{CD}$

② $2\widehat{AB}=\widehat{CD}$

③ $\overline{AB}=\dfrac{1}{2}\overline{CD}$

④ $\triangle COD=2\triangle AOB$

⑤ (부채꼴 COD의 넓이)$=2\times$(부채꼴 AOB의 넓이)

學

04

오른쪽 그림의 원 O에서 $\angle AOB=105°$, $\angle COD=35°$이고, 부채꼴 AOB의 넓이가 $87\,cm^2$일 때, 부채꼴 COD의 넓이는?

① $25\,cm^2$ ② $29\,cm^2$

③ $34\,cm^2$ ④ $38\,cm^2$

⑤ $42\,cm^2$

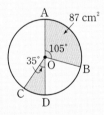

Tip : 페이지 번호를 클릭하면 스마트매쓰⁺를 이용하실 수 있어요!

라디오 수타
라디오 방송 형식으로
배운 내용을 재미있게
수학타파하는 코너

+MEMO

01

다음 그림의 원 O에서 ㉠~㉢의 이름을 차례로 말하시오.

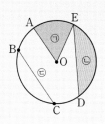

02

반지름의 길이가 5 cm인 부채꼴의 중심각의 크기가 60°일 때, 이 중심각에 해당하는 현의 길이를 구하시오.

03

오른쪽 그림과 같이 원 O 위에 ∠AOE가 4등분이 되도록 점 B, C, D를 잡을 때, 다음 중 옳지 <u>않은</u> 것은?

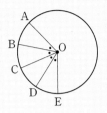

① $\overline{AB}=\overline{CD}$

② $\overline{BD}=2\overline{AB}$

③ $\overparen{BC}=\dfrac{1}{2}\overparen{CE}$

④ $\overparen{BE}=3\overparen{BC}$

⑤ $(\triangle AOB의 넓이)=(\triangle COD의 넓이)$

04

다음 그림의 두 원 O, O′에서 $x+y$의 값을 구하시오.

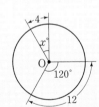 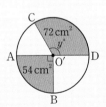

생각➕

다음 그림과 같이 원 O의 지름 AB의 연장선과 현 CD의 연장선의 교점을 P라 하자. ∠P = 20°, $\overline{OD}=\overline{DP}$, $\overparen{AC}=24$ cm일 때, $\overparen{BD}$의 길이를 구하시오.

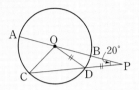

다음 그림의 원 O에서 $\overline{AB}$, $\overline{CD}$는 지름이고 $\overline{AE}\,/\!/\,\overline{CD}$이다. $\angle DOB = 25°$, $\overarc{AC} = 5\,\mathrm{cm}$일 때, $\overarc{AE}$의 길이는?

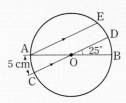

① 25 cm   ② 26 cm   ③ 27 cm

④ 28 cm   ⑤ 30 cm

다음 조건에 맞게 아래 수빈이의 하루 일과표를 완성하시오.

[조건 1] 수빈이는 밤 11시에 잠을 자기로 했다. 수면 시간을 나타내는 부채꼴의 중심각의 크기는 120°이다.

[조건 2] 기상과 함께 학교에 도착할 때까지 1시간이 걸린다.

[조건 3] 수면 시간의 부채꼴의 호의 길이의 1.25배만큼 학교에서 시간을 보낸다.

[조건 4] 집에 돌아온 수빈이는 저녁 식사 및 자유시간을 갖는다.

[조건 5] 잠들기 전까지 수빈이는 학교에서 보낸 시간의 부채꼴의 넓이의 $\frac{3}{10}$만큼 공부를 한다.

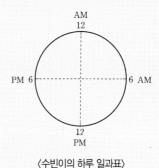

〈수빈이의 하루 일과표〉

02 원의 둘레의 길이와 넓이

 Mstory1 Mstory2

M1 원주율 ⊙ 개념강의

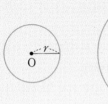
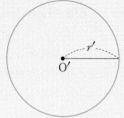

- $(원주율) = \dfrac{(원의\ 둘레의\ 길이)}{(지름의\ 길이)}$

  $= 3.141592\cdots = \pi(파이)$

M2 원의 둘레의 길이와 넓이 ⊙ 개념강의

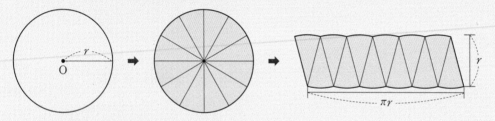

- $(원의\ 둘레의\ 길이) = (원주율) \times (지름의\ 길이)$

  $l = \pi \times 2r = 2\pi r$

- $(원의\ 넓이) = (원주율) \times (반지름의\ 길이) \times (반지름의\ 길이)$

  $S = \pi \times r \times r = \pi r^2$

| 원의 둘레의 길이와 넓이

05

다음 그림과 같이 반지름의 길이가 r cm인 원 O의 둘레의 길이가 30π cm일 때, r의 값을 구하시오.

 | 원의 둘레의 길이의 응용

06

다음 그림과 같이 중심이 같은 두 원에서 색칠한 부분의 둘레의 길이는?

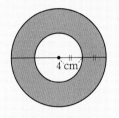

① 16π cm   ② 20π cm   ③ 24π cm

④ 28π cm   ⑤ 32π cm

05

다음 그림과 같이 지름의 길이가 6 cm인 원 모양의 과자의 넓이를 구하시오.

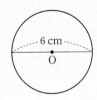

06

다음 그림과 같이 지름 AD의 길이가 12 cm인 원 O에서 $\overline{AB} = \overline{BC} = \overline{CD}$일 때, 색칠한 부분의 둘레의 길이를 구하시오.

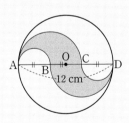

유형 | 원의 넓이의 응용

07

다음 그림에서 정사각형의 한 변의 길이와 원 O의 반지름의 길이가 같다. 정사각형의 넓이가 $100\,cm^2$일 때, 원 O의 넓이는?

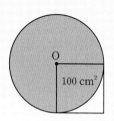

① $25\pi\,cm^2$ ② $50\pi\,cm^2$ ③ $75\pi\,cm^2$

④ $100\pi\,cm^2$ ⑤ $125\pi\,cm^2$

07

다음 그림과 같이 두 지름 AC, BD가 서로 수직이등분할 때, 색칠한 부분의 넓이를 구하시오.

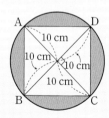

유형 | 원기둥을 묶은 끈의 길이 구하기

08

다음 그림과 같이 원기둥 모양의 음료수 캔 4개를 끈으로 묶어 판매하려고 한다. 캔의 밑면의 반지름의 길이가 $2\,cm$일 때, 사용한 끈의 최소 길이를 구하시오.

(단, 매듭의 길이는 생각하지 않는다.)

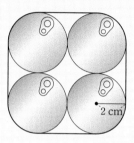

08

다음 그림과 같이 밑면의 반지름의 길이가 $6\,cm$인 원기둥 3개를 끈으로 묶으려고 할 때, 사용한 끈의 최소 길이를 구하시오. (단, 매듭의 길이는 생각하지 않는다.)

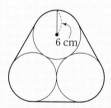

Tip : 페이지 번호를 클릭하면 스마트매쓰+를 이용하실 수 있어요!

+MEMO

라디오 수타

라디오 방송 형식으로
배운 내용을 재미있게
수학타파하는 코너

05

다음 그림과 같이 원 O의 넓이가 $9\pi\,\mathrm{cm}^2$일 때, 원의 둘레
의 길이를 구하시오.

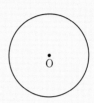

06

디음 그림과 같이 세 원 O, O', O''의 중심이 한 직선 위에
있을 때, 색칠한 부분의 둘레의 길이는?

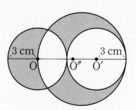

① $20\pi\,\mathrm{cm}$ ② $21\pi\,\mathrm{cm}$ ③ $22\pi\,\mathrm{cm}$

④ $23\pi\,\mathrm{cm}$ ⑤ $24\pi\,\mathrm{cm}$

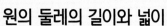

07

다음 그림에서 정사각형이 원 O의 바깥에서 접하고 있다. 원의 넓이가 $225\pi \text{ cm}^2$일 때, 정사각형의 넓이는?

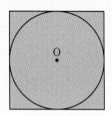

① $\dfrac{225}{4} \text{ cm}^2$ ② $\dfrac{225}{2} \text{ cm}^2$ ③ 225 cm^2

④ 450 cm^2 ⑤ 900 cm^2

08

다음 그림은 밑면의 반지름의 길이가 1 m인 원기둥 모양의 통 5개를 끈을 사용하여 묶은 것이다. 이때, 필요한 끈의 최소 길이를 구하시오. (단, 매듭의 길이는 생각하지 않는다.)

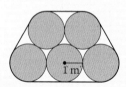

생각 +

주어진 악보에 숨겨져 있는 원주율 암호를 풀어 보고 연주해 보자.

다음 그림은 원을 잘게 잘라 붙여 직사각형을 만든 것이다. 원과 직사각형에 대한 설명으로 옳은 것을 모두 고르면? (단, 원을 한없이 잘게 자르면 오른쪽 도형은 직사각형에 가까워진다.) (정답 2개)

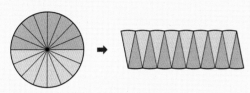

① 원과 직사각형의 넓이는 같다.
② 원과 직사각형의 둘레의 길이는 같다.
③ 직사각형의 넓이는 원의 넓이의 2배이다.
④ 직사각형의 가로의 길이와 원의 반지름의 길이는 같다.
⑤ 원의 둘레의 길이는 직사각형의 가로의 길이의 2배이다.

다음 그림은 육상 트랙이다. 트랙의 곡선 부분은 반지름의 길이의 차가 $1\,\text{m}$씩인 반원으로 이루어져 있다. 이 경기장에서 달리기 경주를 하려면 각 트랙의 출발점 중앙에서 결승선까지의 달린 거리가 같아야 한다. 준희와 재원이가 달리기 경주를 할 때, 바깥쪽 트랙의 중앙에서 시작하는 학생이 안쪽 트랙의 중앙에서 시작하는 학생보다 몇 m 앞에서 출발해야 하는가?

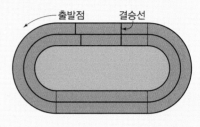

① $1\,\text{m}$　　　② $2\,\text{m}$　　　③ $\pi\,\text{m}$
④ $2\pi\,\text{m}$　　　⑤ $4\pi\,\text{m}$

03 부채꼴의 호의 길이와 넓이

M1 부채꼴의 호의 길이 🔘 개념강의

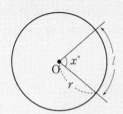

(부채꼴의 호의 길이):(원의 둘레의 길이)$=x:360$

$l:2\pi r=x:360$

$l\times360=2\pi r\times x$

- $l=2\pi r\times\dfrac{x}{360}$

M2 부채꼴의 넓이 🔘 개념강의

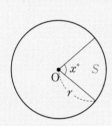

(부채꼴의 넓이):(원의 넓이)$=x:360$

$S:\pi r^2=x:360$

$S\times360=\pi r^2\times x$

- $S=\pi r^2\times\dfrac{\textcircled{x}}{360}$ ◀— 중심각의 크기

- $S=\pi r^2\times\dfrac{l}{2\pi r}=\dfrac{1}{2}r\textcircled{l}$ ◀— 호의 길이

Tip : 문항번호를 클릭하면 해설동영상을 볼 수 있어요! 정답 및 해설 p. 42

 | 부채꼴의 호의 길이

09

다음 그림과 같이 한 변의 길이가 6 cm인 정오각형에서 색칠한 부채꼴의 호의 길이를 구하시오.

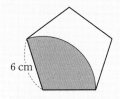

 | 부채꼴의 넓이

10

반지름의 길이가 12 cm이고, 중심각의 크기가 135°인 부채꼴의 넓이는?

① 27π cm²   ② 36π cm²   ③ 42π cm²

④ 54π cm²   ⑤ 72π cm²

09

다음 그림과 같이 중심각의 크기가 30°인 부채꼴의 호의 길이가 5π cm일 때, 부채꼴의 반지름의 길이를 구하시오.

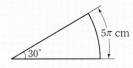

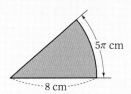

10

다음 그림과 같이 반지름의 길이가 8 cm인 부채꼴의 호의 길이가 5π cm일 때, 부채꼴의 넓이를 구하시오.

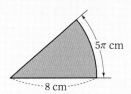

유형 │ 색칠한 부분의 둘레의 길이 구하기

11

다음 그림에서 색칠한 부분의 둘레의 길이를 구하시오.

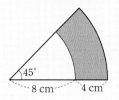

유형 │ 색칠한 부분의 넓이 구하기

12

다음 그림과 같이 한 변의 길이가 $12\,cm$인 정사각형 ABCD에서 색칠한 부분의 넓이를 구하시오.

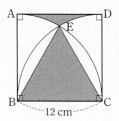

學

11

다음 그림과 같이 반지름의 길이가 $6\,cm$인 원의 중심 O와 원 위의 두 점 A, B를 꼭짓점으로 하는 정육각형을 그렸을 때, 색칠한 부분의 둘레의 길이를 구하시오.

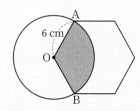

學

12

다음 그림과 같이 한 변의 길이가 $4\,cm$인 정사각형에서 색칠한 부분의 넓이를 구하시오.

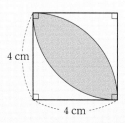

Tip : 페이지 번호를 클릭하면 스마트매쓰⁺를 이용하실 수 있어요!

라디오 수타
라디오 방송 형식으로
배운 내용을 재미있게
수학타파하는 코너

+MEMO

09

다음 그림과 같이 반지름의 길이가 3cm인 부채꼴의 호의
길이를 구하시오.

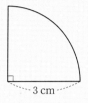

10

넓이가 $4\pi \, \text{cm}^2$이고 중심각의 크기가 $40°$인 부채꼴의 호의
길이는?

① $\dfrac{\pi}{2}$ cm   ② $\dfrac{2}{3}\pi$ cm   ③ $\dfrac{5}{6}\pi$ cm

④ $\dfrac{13}{12}\pi$ cm   ⑤ $\dfrac{4}{3}\pi$ cm

11

다음 그림과 같이 한 변의 길이가 10 cm인 정사각형에서 색칠한 부분의 둘레의 길이를 구하시오.

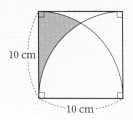

생각+

다음 그림에서 □ABCD는 한 변의 길이가 20 cm인 정사각형이고, 점 M은 $\overarc{CD}$의 중점일 때, 색칠한 부분의 넓이를 구하시오.

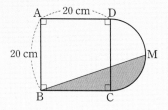

12

다음 그림에서 $\overline{AB}=\overline{BC}=\overline{CD}=\overline{DE}$이고, $\overline{AE}$는 원의 지름이다. $\overline{AE}=16$ cm일 때, 색칠한 부분의 넓이는?

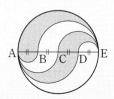

① 32π cm² ② 40π cm² ③ 52π cm²

④ 64π cm² ⑤ 70π cm²

다음 그림과 같이 가로, 세로의 길이가 각각 3, 4이고 대각선의 길이가 5인 직사각형 ABCD를 직선 l 위로 한바퀴 굴렸다. 이때, 꼭짓점 A가 움직인 거리를 구하시오.

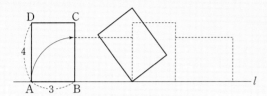

다음 그림과 같이 가로의 길이가 5 m, 세로의 길이가 3 m인 직사각형 모양의 가축 우리의 A 지점에 6 m 길이의 끈으로 양을 묶어 놓았다. 양이 최대한으로 풀을 뜯을 수 있는 풀밭의 넓이를 구하시오.

(단, 끈의 두께와 매듭의 길이는 무시한다.)

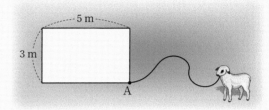

단원 종합 문제

〈1번부터 16번까지는 각 문항당 4점입니다.〉

01

오른쪽 그림의 원 O에 대한 설명으로
옳지 <u>않은</u> 것은?

① $\overline{BC}$를 현이라 한다.

② ∠BOC는 $\overparen{BC}$에 대한 중심각
이다.

③ 원의 중심 O를 지나는 현은 반지름이다.

④ $\overparen{BC}$와 $\overline{BC}$로 둘러싸인 도형은 활꼴이다.

⑤ $\overparen{AB}$와 두 반지름 $\overline{OA}$, $\overline{OB}$로 둘러싸인 도형은 부
채꼴이다.

02

다음 그림에서 ∠x의 크기는?

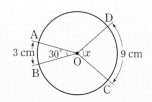

① 45°   ② 60°   ③ 75°

④ 80°   ⑤ 90°

03

다음 그림에서 $\overline{AB}$는 원 O의 지름이고 $4\overparen{AC}=\overparen{BC}$일 때,
∠x의 크기는?

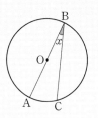

① 15°   ② 16°   ③ 17°

④ 18°   ⑤ 19°

04

다음 그림에서 $\overline{AC}\,/\!/\,\overline{OD}$이고 ∠DOB=30°일 때,
$\overparen{AC}:\overparen{CD}:\overparen{DB}$를 가장 간단한 자연수의 비로 나타내시오.

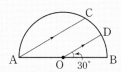

Tip : 페이지 번호를 클릭하면 **스마트매쓰⁺**를 이용하실 수 있어요!

05

원 모양의 피자 한 판을 넓이의 비가 3 : 5 : 7인 세 조각의 부채꼴 모양으로 나누었다. 이때, 넓이가 가장 큰 피자 조각의 중심각의 크기를 구하시오.

06

오른쪽 그림과 같은 원 O에서 $\angle COE = \angle DOE$이고 $3\angle AOB = \angle COD$일 때, 다음 중 옳지 <u>않은</u> 것은?

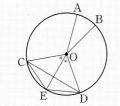

① $\overline{CE} = \overline{DE}$

② $\overline{CD} < \overline{CE} + \overline{DE}$

③ $\overparen{AB} = \dfrac{1}{3}\overparen{CD}$

④ ($\triangle COD$의 넓이) $= 3 \times$ ($\triangle AOB$의 넓이)

⑤ (부채꼴 AOB의 넓이) $= \dfrac{1}{3} \times$ (부채꼴 COD의 넓이)

07

다음 중 옳지 <u>않은</u> 것은?

① (원주율) $= \dfrac{(원의\ 둘레의\ 길이)}{(원의\ 지름의\ 길이)}$

② 한 원에서 원의 지름의 길이에 대한 원의 둘레의 길이의 비는 그 값이 일정하다.

③ 반지름의 길이가 5 cm인 원의 넓이는 $25\pi\ cm^2$이다.

④ 넓이가 $49\pi\ cm^2$인 원의 둘레의 길이는 $14\pi\ cm$이다.

⑤ 원의 넓이는 원의 둘레의 길이에 반지름의 길이를 곱한 것과 같다.

08

다음 그림과 같이 원 O_1 안에 반지름의 길이의 비가 3 : 2인 두 원 O_2와 O_3이 있다. 이때, 색칠한 부분의 넓이와 원 O_3의 넓이의 비를 가장 간단한 정수의 비로 나타내시오. (단, 원 O_1의 지름의 길이는 원 O_2와 원 O_3의 지름의 길이의 합과 같다.)

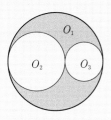

09

오른쪽 그림과 같이 서로 평행하거나 수직인 직선들에 접하는 원 A, B, C, D가 있다. 원 C와 원 D의 지름의 길이의 비가 $2:1$이고, 원 A, B, C, D의 둘레의 길이의 합이 88π일 때, 원 A, B, C, D의 넓이의 합은?

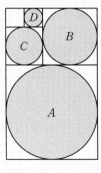

① 224π ② 349π
③ 405π ④ 464π
⑤ 624π

10

다음 그림과 같이 폭이 3m인 육상 트랙이 있다. 이 트랙의 넓이를 구하시오.

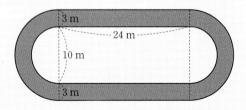

11

다음 그림과 같이 한 변의 길이가 10 cm인 정사각형에서 색칠한 부분의 넓이는?

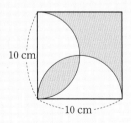

① $32\,\mathrm{cm}^2$ ② $38\,\mathrm{cm}^2$ ③ $44\,\mathrm{cm}^2$
④ $50\,\mathrm{cm}^2$ ⑤ $56\,\mathrm{cm}^2$

12

다음 그림은 한 변의 길이가 1 cm인 정오각형의 변을 따라 호를 그린 것이다. 색칠한 부분의 넓이는?

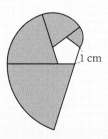

① $4\pi\,\mathrm{cm}^2$ ② $6\pi\,\mathrm{cm}^2$ ③ $9\pi\,\mathrm{cm}^2$
④ $12\pi\,\mathrm{cm}^2$ ⑤ $15\pi\,\mathrm{cm}^2$

Tip : 페이지 번호를 클릭하면 **스마트매스⁺**를 이용하실 수 있어요!

13

다음 그림에서 색칠한 부분의 둘레의 길이를 구하시오.

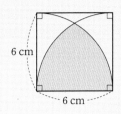

6 cm

6 cm

14

다음 그림은 용찬이의 한 달 휴대폰 사용료를 항목별로 구분하여 만든 원그래프이다. 기본료는 12000원으로 전체 요금의 40 %라 할 때, 통화료를 구하시오.

(단, 각 항목의 넓이와 요금은 정비례한다.)

15

다음 그림과 같이 합동인 세 원이 서로의 중심을 지나도록 겹쳐져 있다. 이때, 색칠한 부분의 둘레의 길이는?

(단, 모든 원의 반지름의 길이는 10이다.)

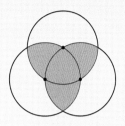

① π ② $\dfrac{3}{2}\pi$ ③ 2π

④ $\dfrac{5}{2}\pi$ ⑤ 3π

16

다음 그림과 같이 한 변의 길이가 6 cm인 정삼각형과 지름이 6 cm인 반원이 겹쳐 있을 때, 색칠한 부분의 넓이는?

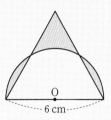

O

6 cm

① $\dfrac{1}{2}\pi\,cm^2$ ② $\dfrac{3}{2}\pi\,cm^2$ ③ $3\pi\,cm^2$

④ $6\pi\,cm^2$ ⑤ $9\pi\,cm^2$

17

아래 그림과 같이 반지름의 길이가 1 cm인 원을 △ABC의 변을 따라 한 바퀴 돌릴 때, 다음 물음에 답하시오.

[총 6점]

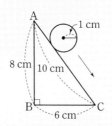

(1) 원의 중심이 움직인 거리를 구하시오. [3점]

(2) 원이 지나간 부분의 넓이를 구하시오. [3점]

18

반지름의 길이가 3 cm인 크기가 같은 4개의 원을 다음 그림과 같은 두 가지 방법으로 묶으려고 한다. 끈의 길이를 최소로 하려고 할 때, 두 가지 방법의 끈의 길이의 차를 구하시오. (단, 매듭에 사용되는 끈의 길이는 생각하지 않는다.)

[10점]

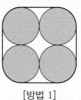
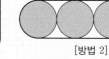

[방법 1]   [방법 2]

19

다음 그림과 같이 반지름의 길이가 $2\,cm$이고, 중심이 각각 A, B인 두 원에서 $\overline{CD}$는 두 원의 접선이다. 빗금친 두 부분 S, T의 넓이가 서로 같을 때, $\square CABD$의 넓이를 구하시오. [10점]

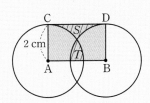

20

다음 그림은 세 변의 길이가 각각 $6\,cm$, $8\,cm$, $10\,cm$인 직각삼각형의 각 변을 지름으로 하는 반원을 그린 것이다. 색칠한 부분의 넓이를 구하시오. [10점]

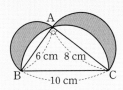

V

입체도형

V 입체도형

1 다면체

1. 다면체: 다각형인 면으로만 둘러싸인 입체도형

(1) **면**: 다면체를 둘러싸고 있는 다각형

(2) **모서리**: 다면체를 이루고 있는 다각형의 변

(3) **꼭짓점**: 다면체를 이루고 있는 다각형의 꼭짓점

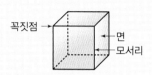

2. 다면체의 종류: 면의 개수에 따라 사면체, 오면체, 육면체 등으로 분류되기도 하고, 모양에 따라 각기둥, 각뿔, 각뿔대 등으로 분류되기도 한다.

(1) **각기둥**

① 두 밑면은 서로 평행하면서 합동인 다각형이고, 옆면은 모두 직사각형인 다면체

② 각기둥의 높이: 각기둥의 두 밑면에 수직인 선분의 길이

(2) **각뿔**

① 밑면이 다각형이고, 옆면이 모두 삼각형인 다면체

② 각뿔의 높이: 각뿔의 꼭짓점에서 밑면에 내린 수선의 길이

(3) **각뿔대**

① 각뿔을 밑면에 평행한 평면으로 자를 때 생기는 두 다면체 중에서 각뿔이 아닌 쪽의 다면체

② 각뿔대의 높이: 각뿔대의 두 밑면에 수직인 선분의 길이

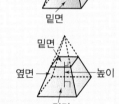

3. 정다면체

(1) **정다면체**: 각 면이 모두 합동인 정다각형이고, 각 꼭짓점에 모이는 면의 개수가 같은 다면체

(2) **정다면체의 종류**: 정사면체, 정육면체, 정팔면체, 정십이면체, 정이십면체의 5가지 뿐이다.

정사면체　　　정육면체　　　정팔면체　　　정십이면체　　　정이십면체

2 회전체

1. 회전체: 평면도형을 한 직선을 회전축으로 하여 1회전시킬 때 생기는 입체도형

(1) **회전축:** 회전시킬 때 축이 되는 직선

(2) **모선:** 회전체에서 옆면을 이루는 선분

회전체	원기둥	원뿔	원뿔대	구
겨냥도				

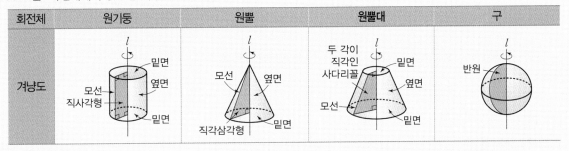

2. 회전체의 단면

(1) 회전체를 회전축에 수직인 평면으로 자르면 그 단면은 항상 원이다.

원기둥	원뿔	원뿔대	구

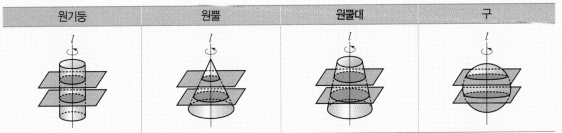

(2) 회전체를 회전축을 포함하는 평면으로 자르면 그 단면은 서로 합동이며 회전축에 대하여 선대칭도형이다.

원기둥	원뿔	원뿔대	구

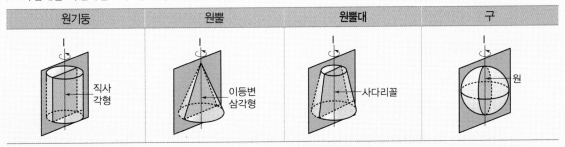

참고 구는 어느 방향으로 잘라도 그 단면은 항상 원이다.

입체도형

3 기둥의 겉넓이와 부피

1. 각기둥의 겉넓이와 부피

(1) 각기둥의 겉넓이: 각기둥의 겉넓이는 두 밑넓이와 옆넓이의 합으로 구할 수 있다.

> (각기둥의 겉넓이)=(옆넓이)+(밑넓이)×2

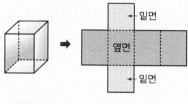

(2) 각기둥의 부피: 밑넓이가 S, 높이가 h인 각기둥의 부피를 V라 하면

> $V=Sh$

2. 원기둥의 겉넓이와 부피

(1) 원기둥의 겉넓이: 밑면의 반지름의 길이가 r, 높이가 h인 원기둥의 겉넓이를 S라 하면

> $S=2\pi r^2+2\pi rh$

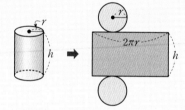

(2) 원기둥의 부피 : 밑면의 반지름의 길이가 r, 높이가 h인 원기둥의 부피를 V라 하면

> $V=\pi r^2 h$

4 뿔의 겉넓이와 부피

1. 각뿔의 겉넓이와 부피

(1) 각뿔의 겉넓이: 각뿔의 겉넓이는 밑넓이와 옆넓이의 합으로 구할 수 있다.

> (각뿔의 겉넓이)=(옆넓이)+(밑넓이)

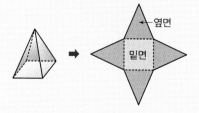

(2) 각뿔의 부피: 밑넓이가 S, 높이가 h인 각뿔의 부피를 V라 하면

$$V = \frac{1}{3}Sh$$

2. 원뿔의 겉넓이와 부피

(1) **원뿔의 겉넓이**: 밑면의 반지름의 길이가 r, 모선의 길이가 l인 원뿔의 겉넓이를 S라 하면

$$S = \pi r l + \pi r^2$$

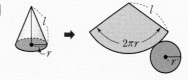

(2) **원뿔의 부피**: 밑면의 반지름의 길이가 r, 높이가 h인 원뿔의 부피를 V라 하면

$$V = \frac{1}{3}\pi r^2 h$$

5 구의 겉넓이와 부피

구의 반지름의 길이를 r라 하면

(1) (구의 겉넓이)$= 4\pi r^2$ (2) (구의 부피)$= \frac{4}{3}\pi r^3$

참고 구의 겉넓이는 반지름의 길이가 같은 원의 넓이의 4배이다.

6 원기둥, 구, 원뿔 사이의 관계

밑면의 반지름의 길이가 r인 원기둥에 꼭 맞게 들어가는 구, 원뿔에서 원뿔의 부피는 원기둥의 부피의 $\frac{1}{3}$, 구의 부피는 원기둥의 부피의 $\frac{2}{3}$이다.

(원기둥의 부피) : (구의 부피) : (원뿔의 부피)$= 3 : 2 : 1$

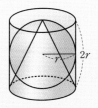

01 다면체 Mstory1 Mstory2

M1 다면체 ⊛ 개념강의

다각형인 면으로만 둘러싸인 입체도형

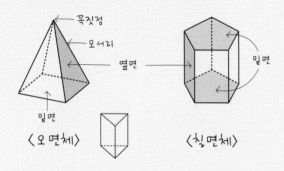

꼭짓점
모서리
옆면
밑면
밑면

〈 오면체 〉

〈 칠면체 〉

M2 각기둥, 각뿔, 각뿔대 ⊛ 개념강의

(단위: 개)

다면체	(정)n각기둥	(정)n각뿔	(정)n각뿔대
옆면의 모양	직사각형 (직사각형)	삼각형 (이등변삼각형)	사다리꼴 (등변사다리꼴)
꼭짓점(v)의 개수	$2n$	$n+1$	$2n$
모서리(e)의 개수	$3n$	$2n$	$3n$
면(f)의 개수	$n+2$	$n+1$	$n+2$

용어사전 • 다면 (多 많다, 面 면)체 polyhedron

| 다면체

01

다음 중 다면체인 것을 모두 고르면? (정답 2개)

 ①

 ②

 ③

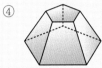 ④

 ⑤

 | 다면체의 옆면의 모양

02

오른쪽 그림의 다면체의 이름과 옆면의 모양이 바르게 짝지어진 것은?

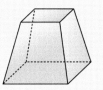

① 사각기둥 – 사다리꼴
② 사각기둥 – 직사각형
③ 사각뿔대 – 사다리꼴
④ 사각뿔대 – 직사각형
⑤ 사각뿔 – 직사각형

01

다음 〈보기〉 중 다면체인 것의 개수는?

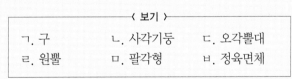

─ 〈 보기 〉 ─

ㄱ. 구　　　　ㄴ. 사각기둥　　　ㄷ. 오각뿔대
ㄹ. 원뿔　　　ㅁ. 팔각형　　　　ㅂ. 정육면체

① 1개　　　② 2개　　　③ 3개
④ 4개　　　⑤ 5개

02

다음 중 옆면의 모양이 사각형이 <u>아닌</u> 것은?

① 삼각기둥　　　　② 육각뿔대
③ 정육면체　　　　④ 칠각뿔
⑤ 팔각뿔대

유형 | 다면체의 꼭짓점, 모서리, 면의 개수

03

다음 중 다면체를 잘못 연결한 것은?

① 삼각뿔 – 사면체 ② 사각뿔대 – 오면체

③ 오각뿔 – 육면체 ④ 육각기둥 – 팔면체

⑤ 칠각뿔대 – 구면체

유형 | 조건을 만족하는 다면체 찾기

04

다음 조건을 모두 만족하는 입체도형을 말하시오.

(개) 두 밑면은 서로 평행하다.
(내) 옆면의 모양은 모두 직사각형이 아닌 사다리꼴 이다.
(대) 꼭짓점의 개수는 16개이다.

03

육각뿔의 꼭짓점의 개수를 v개, 모서리의 개수를 e개라 할 때, $v+e$의 값을 구하시오.

04

모서리의 개수가 27개인 각기둥은 몇 면체인가?

① 팔면체   ② 구면체   ③ 십면체

④ 십일면체   ⑤ 십이면체

+MEMO

라디오 수타

라디오 방송 형식으로
배운 내용을 재미있게
수학타피하는 코너

질문

01

다음 〈보기〉의 입체도형 중 다면체인 것을 모두 고르시오.

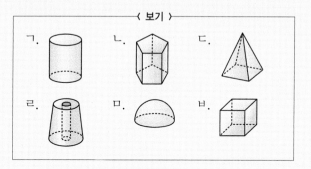

질문

02

다음은 다면체와 그 옆면의 모양을 짝지은 것이다. 옳지
않은 것은?

① 삼각뿔대 – 사다리꼴
② 사각뿔 – 삼각형
③ 오각뿔대 – 사다리꼴
④ 육각뿔 – 삼각형
⑤ 팔각기둥 – 팔각형

꼼
03

다음 그림과 같은 입체도형의 꼭짓점의 개수를 v개, 모서리의 개수를 e개, 면의 개수를 f개라 할 때, $v-e+f$의 값을 구하시오.

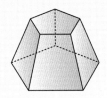

생각➕

다음 설명 중 옳지 않은 것을 모두 고르면? (정답 2개)

① 구각뿔의 옆면의 모양은 삼각형이다.

② 육각기둥의 면의 개수는 6개이다.

③ 오각뿔대의 모서리의 개수는 15개이다.

④ 사각기둥의 두 밑면은 합동이면서 서로 평행하다.

⑤ 삼각기둥의 밑면에 수직인 평면으로 자를 때 생기는 단면은 삼각형이다.

꼼
04

다음 조건을 모두 만족하는 입체도형을 말하시오.

> (가) 밑면의 개수는 1개이다.
> (나) 옆면의 모양은 모두 삼각형이다.
> (다) 모서리의 개수는 10개이다.

생각 **+++**

다음 그림과 같은 입체도형의 꼭짓점의 개수를 v개, 모서리의 개수를 e개, 면의 개수를 f개라 할 때, $v-e+f$의 값을 구하시오.

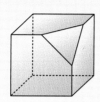

생각 **+++**

다음 그림과 같은 주사위 모양의 나무토막이 있다. 이 나무토막의 모든 면에 페인트를 칠한 후 가로, 세로, 높이를 각각 6등분하여 216개의 작은 주사위 모양의 나무토막으로 잘랐다. 작은 주사위 모양의 나무토막 중에서 색칠된 면이 2개인 것의 개수를 구하시오.

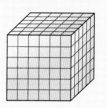

02 정다면체

 Mstory1   Mstory2

M1 정다면체 ⊛ 개념강의

합동 & 정다각형 & 한 꼭짓점에 모이는 면의 개수

(단위: 개)

	정사면체	정육면체	정팔면체	정십이면체	정이십면체
겨냥도					
면의 모양	③	④	③	⑤	③
한 꼭짓점에 모이는 면의 개수	3	3	4	3	5
꼭짓점의 개수	4	8	6	$\dfrac{5 \times 12}{3}=20$	$\dfrac{3 \times 20}{5}=12$
모서리의 개수	6	12	12	$\dfrac{5 \times 12}{2}=30$	$\dfrac{3 \times 20}{2}=30$
면의 개수	4	6	8	12	20

M2 정다면체가 5가지인 이유 ⊛ 개념강의

• 한 꼭짓점에서 모이는 면의 개수가 3개 이상
• 한 꼭짓점에서 모이는 내각의 크기의 합이 360° 미만

(×)

정사면체

정팔면체

정이십면체

(×)

정육면체

(×)

정십이면체

(×)

(×)

유형 | 정다면체의 성질

05

다음 〈보기〉 중 정다면체에 대한 설명으로 옳은 것을 모두 고른 것은?

< 보기 >
ㄱ. 정다면체의 종류는 모두 다섯 가지뿐이다.
ㄴ. 정다면체는 모두 평행한 면을 가지고 있다.
ㄷ. 정다면체의 면이 될 수 있는 다각형은 정삼각형, 정사각형, 정오각형뿐이다.

① ㄱ ② ㄴ ③ ㄱ, ㄷ
④ ㄴ, ㄷ ⑤ ㄱ, ㄴ, ㄷ

유형 | 조건을 만족하는 정다면체 찾기

06

다음 조건을 모두 만족하는 입체도형을 말하시오.

㈎ 각 면의 모양이 모두 합동인 정다각형이다.
㈏ 한 꼭짓점에서 모인 면의 개수는 5개로 일정하다.

05

다음 표는 정다면체에 대한 것이다. ㉠+㉡+㉢+㉣의 값은?

(단위: 개)

정다면체	정사면체	정육면체	정팔면체	정십이면체	정이십면체
면의 모양	정삼각형	정사각형	정삼각형	정오각형	정삼각형
한 꼭짓점에 모이는 면의 개수	3	3	4	㉡	5
꼭짓점의 개수	4	8	6	㉢	㉣
모서리의 개수	6	12	㉠	30	30

① 44 ② 45 ③ 46
④ 47 ⑤ 48

06

한 꼭짓점에서 모이는 면의 개수가 4개인 정다면체의 꼭짓점의 개수를 구하시오.

유형 | 정다면체의 전개도

07

다음 그림의 전개도로 정사면체를 만들 때, $\overline{AB}$와 꼬인 위치에 있는 모서리는?

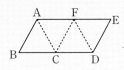

① $\overline{CD}$ ② $\overline{CF}$ ③ $\overline{DE}$

④ $\overline{DF}$ ⑤ $\overline{EF}$

유형 | 정다면체에서 만들어지는 정다면체

08

다음은 정다면체의 각 면의 중심을 연결하여 만든 입체도형을 연결한 것이다. 옳지 않은 것은?

① 정사면체 – 정사면체
② 정육면체 – 정육면체
③ 정팔면체 – 정육면체
④ 정십이면체 – 정이십면체
⑤ 정이십면체 – 정십이면체

學

07

다음 그림의 전개도로 정육면체를 만들 때, $\overline{AB}$와 꼬인 위치에 있는 모서리는?

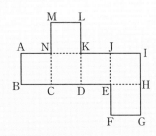

① $\overline{FG}$ ② $\overline{GH}$ ③ $\overline{IJ}$

④ $\overline{LM}$ ⑤ $\overline{MN}$

學

08

다음 그림과 같은 정사면체의 각 모서리의 중점을 연결하여 만든 입체도형을 말하시오.

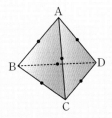

Tip : 페이지 번호를 클릭하면 스마트매쓰⁺를 이용하실 수 있어요!

+MEMO

라디오 수타
라디오 방송 형식으로
배운 내용을 재미있게
수학토피하는 코너

05

다음 〈보기〉 중 정다면체에 대한 설명으로 옳은 것을 모두
고른 것은?

┌─────────── 〈 보기 〉 ───────────┐
ㄱ. 정육각형으로 이루어진 정다면체는 없다.
ㄴ. 정다면체는 면의 개수와 꼭짓점의 개수가 같다.
ㄷ. 모든 면이 합동인 정다각형으로 이루어진 다면
   체를 정다면체라 한다.
└───────────────────────────────┘

① ㄱ   ② ㄴ   ③ ㄱ, ㄷ
④ ㄴ, ㄷ   ⑤ ㄱ, ㄴ, ㄷ

06

각 면이 모두 정오각형으로 이루어진 정다면체에 대하여
한 꼭짓점에 모이는 면의 개수를 x개, 모서리의 개수를 y개,
꼭짓점의 개수를 z개라 할 때, $x+y-z$의 값은?

① 10   ② 11   ③ 12
④ 13   ⑤ 14

껌
07

다음 그림의 전개도로 정팔면체를 만들 때, $\overline{BC}$와 겹쳐지는 모서리를 구하시오.

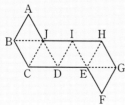

생각 ➕

다음 그림은 모든 면이 정삼각형으로 이루어진 도형이다. 이 도형이 정다면체가 아닌 이유를 말하시오.

껌
08

다음 그림의 정팔면체에서 각 면의 중심을 연결하여 만든 정다면체의 꼭짓점의 개수와 모서리의 개수의 합을 구하시오.

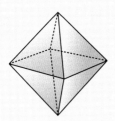

생각 ✚✚

다음 〈보기〉 중 정육면체를 평면으로 자를 때 생기는 단면의 모양이 될 수 있는 것은 모두 몇 개인지 구하시오.

┌─── 〈 보기 〉 ───
ㄱ. 삼각형
ㄴ. 오각형
ㄷ. 육각형
ㄹ. 정사각형이 아닌 직사각형
ㅁ. 정사각형이 아닌 마름모
└──────────

 생각 ✚✚✚

주사위하면 흔히 정육면체를 떠올리지만 신라시대에는 목제주령구라 부르는 십사면체 모양의 주사위가 있었다.
목제주령구는 놀이를 위해 만들어진 도구로 각 면에는 '얼굴을 간지려도 꼼짝않기', '소리없이 춤추기', '여러 사람 코두드리기', '누구에게나 마음대로 노래시키기' 등의 재미있는 벌칙이 쓰여 있다.
1975년 경주 안압지에서 발굴된 목제주령구는 6개의 정사각형과 8개의 육각형으로 구성된 [그림 1]과 같은 모양으로 이 다면체의 전개도는 [그림 2]와 같다.

 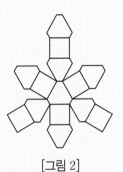

[그림 1]   [그림 2]

위의 그림을 보고 목제주령구의 꼭짓점의 개수와 모서리의 개수를 각각 구하시오.

03 회전체
Mstory1 Mstory2

M1 회전체 ⊛ 개념강의

l　　l　　l　　l

회전축

모선

원기둥　　원뿔　　원뿔대　　구

밑면　　　←옆면→

회전축을 포함하는 평면으로 자른 단면	직사각형, 이등변삼각형, 등변사다리꼴, 원 합동, 선대칭도형(회전축 → 대칭축)
회전축에 수직인 평면으로 자른 단면	원 합동X (원기둥은 합동)

• 구 ➡ 단면이 항상 원, 단면이 가장 큰 경우는 구의 중심을 지나는 평면으로 잘랐을 때이다.

M2 회전체의 전개도 ⊛ 개념강의

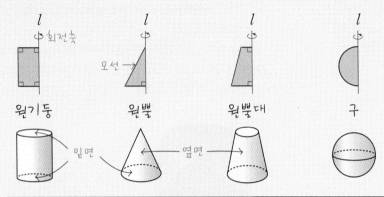

회전체	원기둥	원뿔	원뿔대	구
전개도				• 전개도 없음 • 모선 없음 • 회전축 무수히 많음

용어사전　• 회전 (回 돌다, 轉 구르다)체 solid of revolution
　　　　　• 전개도 (展 펼치다, 開 열다, 圖 그림) development figure

09

다음 중 직선 l을 회전축으로 하여 1회 전시킬 때, 오른쪽 그림과 같은 입체도 형이 생기는 것은?

① 　②

③ 　④ 　⑤

10

다음 중 회전체와 그 회전체를 회전축을 포함하는 평면으로 자를 때 생기는 단면의 모양을 <u>잘못</u> 짝지은 것은?

① 원기둥 – 직사각형
② 원뿔 – 직각삼각형
③ 원뿔대 – 등변사다리꼴
④ 구 – 원
⑤ 반구 – 반원

09

다음 그림의 입체도형은 직각삼각형 ABC의 한 변을 회전 축으로 하여 1회전시킬 때 생기는 회전체이다. 어느 변을 회전축으로 한 것인지 구하시오.

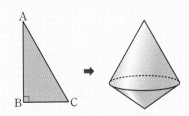

10

다음 중 원기둥을 한 평면으로 자를 때 생기는 단면의 모양 이 될 수 <u>없는</u> 것은?

① 　② 　③

④ 　⑤

유형 | 회전체의 전개도

11

다음 그림과 같은 원기둥의 전개도에서 옆면이 되는 직사각형의 가로의 길이와 세로의 길이의 차를 구하시오.

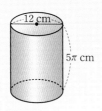

유형 | 회전체의 이해

12

다음 〈보기〉 중 회전체에 대한 설명으로 옳은 것을 모두 고른 것은?

〈 보기 〉

ㄱ. 회전체는 원기둥, 원뿔, 원뿔대, 구뿐이다.
ㄴ. 회전체의 옆면을 만드는 선분을 모선이라 한다.
ㄷ. 회전체를 회전축에 수직인 평면으로 자를 때 생기는 단면은 서로 합동인 원이다.
ㄹ. 회전체를 회전축을 포함하는 평면으로 자를 때 생기는 단면은 선대칭도형이다.

① ㄱ, ㄴ   ② ㄱ, ㄷ   ③ ㄴ, ㄷ
④ ㄴ, ㄹ   ⑤ ㄷ, ㄹ

11

오른쪽 그림과 같이 원뿔 위의 한 점에서 실로 이 원뿔을 한 바퀴 감을 때, 실의 길이가 가장 짧게 되는 경우를 전개도 위에 바르게 나타낸 것은?

①   ②

③   ④   ⑤

12

다음 중 구에 대한 설명으로 옳지 않은 것은?

① 회전축은 하나이다.
② 전개도를 그릴 수 없다.
③ 평면으로 자른 단면은 항상 원이다.
④ 구면 위의 모든 점은 구의 중심으로부터 같은 거리에 있다.
⑤ 구의 중심을 지나는 평면으로 자를 때, 그 단면이 가장 큰 원이 된다.

Tip : 페이지 번호를 클릭하면 스마트매쓰+를 이용하실 수 있어요!

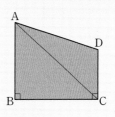

09

다음 그림과 같은 사다리꼴 ABCD를 회전시켜 원뿔대를
만들려고 할 때, 다음 중 그 회전축이 될 수 있는 것은?

① $\overline{AB}$　　　② $\overline{BC}$　　　③ $\overline{CD}$

④ $\overline{DA}$　　　⑤ $\overline{AC}$

10

다음 중 회전축에 수직인 평면으로 자를 때 생기는 단면이
항상 합동이 되는 회전체는?

① 구　　　② 반구　　　③ 원기둥

④ 원뿔　　　⑤ 원뿔대

11

다음 그림과 같이 원뿔 위의 점 A에서 옆면을 따라 모선 OA를 1 : 2로 나누는 점 B까지 실로 연결하려고 한다. 실의 길이가 가장 짧게 되는 경우를 주어진 전개도 위에 나타내시오.

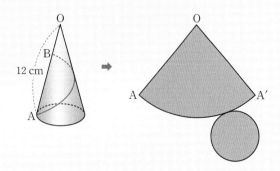

다음 그림과 같은 평면도형을 직선 l을 회전축으로 하여 1회전시킬 때 생기는 입체도형에서 회전축에 수직인 평면으로 자를 때, 그 크기가 가장 큰 단면의 넓이를 구하시오.

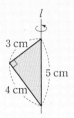

12

다음 중 회전체에 대한 설명으로 옳은 것은?

① 회전체는 곡면으로만 구성되어 있다.

② 모든 회전체는 모선을 갖는다.

③ 모든 회전체의 회전축은 하나뿐이다.

④ 모든 회전체는 전개도를 그릴 수 있다.

⑤ 회전체를 회전축을 포함하는 평면으로 자를 때 생기는 단면은 모두 합동이다.

생각 ✚✚

다음 평면도형을 직선 l을 축으로 하여 1회전시켰을 때 생기는 입체도형을 회전축을 포함한 평면으로 자를 때 생기는 단면의 넓이를 구하시오.

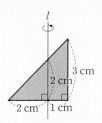

생각 ✚✚✚

다음 중 원뿔을 한 평면으로 자를 때 생기는 단면의 모양이 될 수 <u>없는</u> 것은?

①   ②   ③

④ ⑤

04 기둥과 뿔의 겉넓이와 부피

Mstory1　Mstory2

M1 기둥의 겉넓이와 부피 ⊙ 개념강의

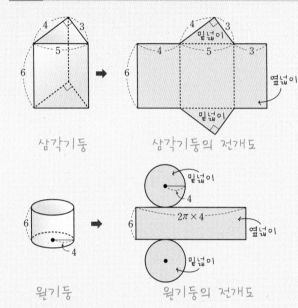

삼각기둥 　　 삼각기둥의 전개도

원기둥 　　 원기둥의 전개도

- (겉넓이)=(밑넓이)×2+(옆넓이)
$$=\left(\frac{1}{2}\times3\times4\right)\times2+(3+4+5)\times6$$
$$=12+72=84$$
- (부피)=(밑넓이)×(높이)
$$=\left(\frac{1}{2}\times3\times4\right)\times6=36$$

- (겉넓이)=$(\pi\times4^2)\times2+(2\pi\times4)\times6$
$$=32\pi+48\pi=80\pi$$
- (부피)=$(\pi\times4^2)\times6=96\pi$

- (겉넓이)=$2\pi r^2+2\pi rh$
- (부피)=$\pi r^2 h$

M2 뿔의 겉넓이와 부피 ⊙ 개념강의

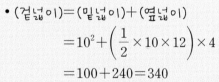

- (겉넓이)=(밑넓이)+(옆넓이)
$$=10^2+\left(\frac{1}{2}\times10\times12\right)\times4$$
$$=100+240=340$$

- (부피)=$\frac{1}{3}$×(밑넓이)×(높이)
$$=\frac{1}{3}\times8^2\times10=\frac{640}{3}$$

- (겉넓이)=$\pi\times3^2+\frac{1}{2}\times9\times6\pi$
$$=9\pi+27\pi=36\pi$$

- (부피)=$\frac{1}{3}\times(\pi\times3^2)\times6=18\pi$

| 각기둥의 겉넓이와 부피

13

다음 그림과 같이 밑면이 직각삼각형이고, 높이가 7 cm인 삼각기둥의 겉넓이는?

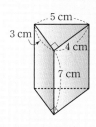

① 90 cm²   ② 92 cm²   ③ 94 cm²

④ 96 cm²   ⑤ 98 cm²

13

다음 그림과 같은 오각형을 밑면으로 하고, 높이가 8 cm인 오각기둥의 부피를 구하시오.

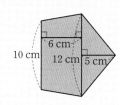

 | 원기둥의 겉넓이와 부피

14

다음 그림과 같이 밑면의 반지름의 길이가 4 cm인 원기둥의 겉넓이가 $112\pi\,\mathrm{cm}^2$일 때, 이 원기둥의 높이를 구하시오.

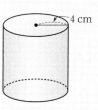

14

다음 그림과 같은 입체도형의 부피가 $105\pi\,\mathrm{cm}^3$일 때, h의 값은?

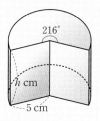

① 7   ② 8   ③ 9

④ 10   ⑤ 11

15

다음 그림과 같이 밑면은 한 변의 길이가 5cm인 정사각형이고, 옆면은 높이가 6cm인 이등변삼각형인 정사각뿔의 겉넓이는?

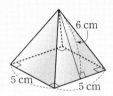

① 70 cm² ② 75 cm² ③ 80 cm²
④ 85 cm² ⑤ 90 cm²

16

다음 그림과 같은 원뿔의 겉넓이가 70π cm²일 때, 이 원뿔의 모선의 길이는?

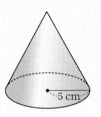

① 6 cm ② 7 cm ③ 8 cm
④ 9 cm ⑤ 10 cm

15

다음 그림과 같이 한 모서리의 길이가 12cm인 정육면체의 한 밑면의 대각선의 교점을 O, 다른 밑면의 네 모서리의 중점을 각각 A, B, C, D라 할 때, 사각뿔 O-ABCD의 부피를 구하시오.

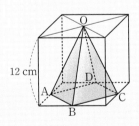

16

다음 그림과 같은 원뿔 모양의 그릇에 물을 가득 채워서 원기둥 모양의 그릇에 옮겼을 때, x의 값을 구하시오.

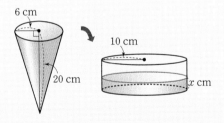

Tip : 페이지 번호를 클릭하면 스마트매쓰⁺를 이용하실 수 있어요!

+MEMO

라디오 수타
라디오 방송 형식으로
배운 내용을 재미있게
수학타파하는 코너

13

다음 그림과 같은 정육면체의 겉넓이가 $384\,cm^2$일 때, 이 정육면체의 한 모서리의 길이는?

① 6 cm ② 7 cm ③ 8 cm

④ 9 cm ⑤ 10 cm

14

다음 그림과 같은 입체도형의 부피를 구하시오.

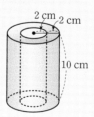

15

다음 그림은 직육면체의 일부를 잘라낸 것이다. 이 입체도형의 부피를 구하시오.

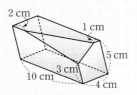

16

다음 그림과 같은 전개도로 만들어지는 원뿔의 겉넓이는?

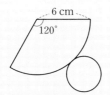

① $8\pi \, cm^2$ ② $10\pi \, cm^2$ ③ $12\pi \, cm^2$

④ $14\pi \, cm^2$ ⑤ $16\pi \, cm^2$

다음 그림의 □ABCD는 한 변의 길이가 12 cm인 정사각형이고, 변 AB와 변 BC의 중점이 각각 E, F이다. 이때, $\overline{DE}$, $\overline{EF}$, $\overline{DF}$를 접는 선으로 하여 접었을 때 생기는 입체도형의 부피는?

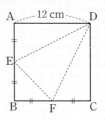

① $64 \, cm^3$ ② $68 \, cm^3$ ③ $72 \, cm^3$

④ $76 \, cm^3$ ⑤ $80 \, cm^3$

생각 ✚✚

다음 그림과 같이 원뿔의 밑면의 둘레 위의 한 점 A에서 출발하여 원뿔의 옆면을 따라 한 바퀴 돌아 다시 점 A로 돌아오는 가장 짧은 선을 그렸다. 원뿔의 모선의 길이가 16 cm, 밑면의 반지름의 길이가 4 cm일 때, 옆면의 색칠한 부분의 넓이를 구하시오.

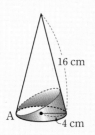

생각 ✚✚✚

다음 그림과 같이 아래 부분이 원기둥 모양인 물병에 물을 담아 물의 높이를 재었더니 5 cm이다. 또, 거꾸로 뒤집어 넣고 다시 높이를 재었더니 비어 있는 부분의 높이가 3 cm가 되었다. 이때, 이 물병의 부피를 구하시오.

(단, 물병의 두께는 무시한다.)

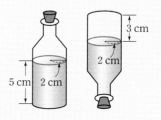

05 구의 겉넓이와 부피

Mstory1 Mstory2

M1 구의 겉넓이와 부피 개념강의

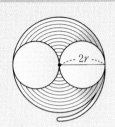

- (구의 겉넓이)$=\pi \times (2r)^2$
  $=4\pi r^2$

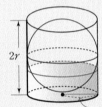

- (구의 부피)$=\dfrac{2}{3} \times$(원기둥의 부피)
  $=\dfrac{2}{3} \times \pi r^2 \times 2r = \dfrac{4}{3}\pi r^3$

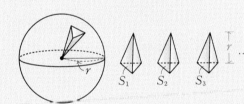

- (구의 부피)$=\dfrac{1}{3}S_1 r + \dfrac{1}{3}S_2 r + \dfrac{1}{3}S_3 r + \cdots$
  $=\dfrac{1}{3}r(S_1 + S_2 + S_3 + \cdots)$

  └─ 구의 겉넓이

  $=\dfrac{1}{3}r \times 4\pi r^2 = \dfrac{4}{3}\pi r^3$

M2 원기둥, 구, 원뿔 사이의 관계 개념강의

		부피	겉넓이
 	원기둥	$\pi r^2 \times 2r = 2\pi r^3$	$2\pi r^2 + \boxed{2\pi r \times 2r}$ $=6\pi r^2$ 옆넓이
 	구	$\dfrac{4}{3}\pi r^3$	$4\pi r^2$
 	원뿔	$\dfrac{1}{3} \times \pi r^2 \times 2r = \dfrac{2}{3}\pi r^3$	$\times$

- 부피의 비
  (원기둥) : (구) : (원뿔)
  $=2\pi r^3 : \dfrac{4}{3}\pi r^3 : \dfrac{2}{3}\pi r^3$
  $=6 : 4 : 2 = 3 : 2 : 1$

- 겉넓이의 비
  (원기둥) : (구)
  $=6\pi r^2 : 4\pi r^2 = 3 : 2$

17

다음 그림과 같은 반지름의 길이가 9 cm인 반구의 겉넓이는?

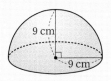

① $239\pi \text{ cm}^2$ ② $241\pi \text{ cm}^2$ ③ $243\pi \text{ cm}^2$

④ $245\pi \text{ cm}^2$ ⑤ $247\pi \text{ cm}^2$

18

다음 그림과 같이 밑면이 정사각형인 사각뿔대의 겉넓이는?

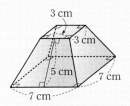

① 158 cm^2 ② 160 cm^2 ③ 162 cm^2

④ 164 cm^2 ⑤ 166 cm^2

17

다음 그림은 반지름의 길이가 5 cm인 구의 $\dfrac{1}{8}$ 을 잘라내고 남은 입체도형이다. 이 입체도형의 부피를 구하시오.

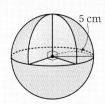

18

다음 그림과 같이 밑면이 정사각형인 사각뿔대의 부피는?

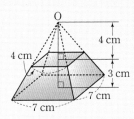

① 91 cm^3 ② 92 cm^3 ③ 93 cm^3

④ 94 cm^3 ⑤ 95 cm^3

| 원뿔대의 겉넓이와 부피

19

다음 그림과 같은 사다리꼴을 직선 l을 회전축으로 하여 1 회전시킬 때 생기는 입체도형의 겉넓이는?

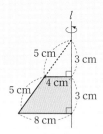

① $136\pi\,\text{cm}^2$ ② $140\pi\,\text{cm}^2$ ③ $144\pi\,\text{cm}^2$

④ $148\pi\,\text{cm}^2$ ⑤ $152\pi\,\text{cm}^2$

19

다음 그림과 같은 원뿔대의 부피를 구하시오.

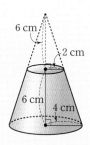

 | 여러 가지 입체도형의 겉넓이와 부피

20

다음 그림과 같이 밑면의 반지름의 길이가 $3\,\text{cm}$, 모선의 길이가 $5\,\text{cm}$인 원뿔과 반지름의 길이가 $3\,\text{cm}$인 반구를 붙여 만든 입체도형의 겉넓이는?

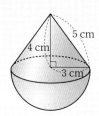

① $20\pi\,\text{cm}^2$ ② $24\pi\,\text{cm}^2$ ③ $25\pi\,\text{cm}^2$

④ $30\pi\,\text{cm}^2$ ⑤ $33\pi\,\text{cm}^2$

20

부피가 $256\pi\,\text{cm}^3$인 원기둥에 다음 그림과 같이 두 개의 야구공이 꼭 맞게 들어 있다. 야구공 한 개의 부피를 구하시오.

Tip : 페이지 번호를 클릭하면 스마트메쓰⁺를 이용하실 수 있어요!

+MEMO

라디오 수타
라디오 방송 형식으로
배운 내용을 재미있게
수학타파하는 코너

껌
17

다음 그림은 반지름의 길이가 $4\,\text{cm}$인 구의 $\dfrac{1}{4}$을 잘라낸 입체도형이다. 이 입체도형의 겉넓이는?

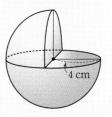

4 cm

① $32\pi\,\text{cm}^2$ ② $40\pi\,\text{cm}^2$ ③ $48\pi\,\text{cm}^2$

④ $56\pi\,\text{cm}^2$ ⑤ $64\pi\,\text{cm}^2$

껌
18

다음 그림과 같이 밑면이 정사각형인 정사각뿔대의 겉넓이를 구하시오.

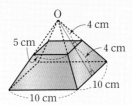

O

4 cm

5 cm

4 cm

10 cm

10 cm

질문

꼼꼼

19

다음 그림과 같은 사다리꼴을 직선 l을 회전축으로 하여 1회전시킬 때 생기는 입체도형의 부피를 구하시오.

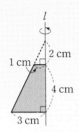

생각 ➕

다음 그림과 같은 두 개의 사분원으로 이루어진 평면도형을 직선 l을 회전축으로 하여 1회전시킬 때 생기는 회전체의 겉넓이와 부피를 각각 구하시오.

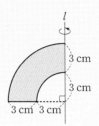

꼼꼼

20

재환이는 물로켓 대회에 참가하기 위하여 오른쪽 그림과 같은 원뿔, 원기둥, 반구로 이루어진 물로켓을 만들었다. 이 물로켓의 부피를 구하시오.

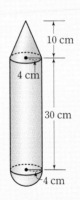

생각 ➕➕

지름의 길이가 14cm인 구 모양의 초콜릿을 녹여서 지름의 길이가 2cm인 구 모양의 초콜릿을 만들려고 한다. 만들 수 있는 초콜릿의 개수는?

① 7개   ② 14개   ③ 49개

④ 196개   ⑤ 343개

생각 ➕➕➕

다음 그림과 같이 정육면체에 꼭 맞게 구와 사각뿔이 들어 있다. 이때, 정육면체, 구, 사각뿔의 부피의 비는?

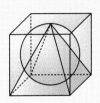

① $3 : \pi : 1$ ② $3 : \pi : 2$

③ $6 : \pi : 1$ ④ $6 : \pi : 2$

⑤ $6 : \pi : 4$

단원 종합 문제

〈1번부터 16번까지는 각 문항당 4점입니다.〉

01

다음 도형에서 다면체의 개수를 구하시오.

> 직육면체, 원기둥, 삼각뿔, 구
> 사각뿔대, 원뿔대, 반구, 정이십면체

02

다음 중 꼭짓점의 개수와 면의 개수의 합이 가장 큰 입체도형은?

① 오각기둥 ② 육각뿔대 ③ 칠각뿔대
④ 팔각뿔 ⑤ 구각뿔

03

다음 중 정다면체에 대한 설명으로 옳지 않은 것은?

① 정다면체의 각 면은 항상 합동이다.
② 정사면체는 면의 개수와 꼭짓점의 개수가 같다.
③ 정삼각형으로 이루어진 정다면체는 세 종류이다.
④ 평행한 면이 존재하는 정다면체는 네 종류이다.
⑤ 한 꼭짓점에 모이는 면의 개수가 가장 많은 것은 정팔면체이다.

04

정십이면체의 전개도의 각 면에 다음 그림과 같이 번호를 적었다. 이 전개도로 정십이면체를 만들 때, 평행한 면끼리 짝지어진 것으로 옳지 않은 것은?

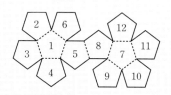

① 1과 7 ② 2와 9 ③ 3과 10
④ 4와 12 ⑤ 5와 11

Tip : 페이지 번호를 클릭하면 스마트매스⁺를 이용하실 수 있어요!

05

다음 중 원뿔대에 대한 설명으로 옳지 <u>않은</u> 것은?

① 원뿔대는 회전체이다.

② 회전축은 하나이다.

③ 원뿔대의 두 밑면은 서로 평행하다.

④ 원뿔을 회전축에 수직인 평면으로 자르면 원뿔대
가 생긴다.

⑤ 원뿔대를 회전축을 포함하는 평면으로 자르면 그
단면은 원이다.

06

다음 그림과 같은 평면도형을 직선 l을 회전축으로 하여 1
회전시킬 때 생기는 입체도형에서 회전축을 포함하는 평면
으로 잘랐을 때 생기는 단면의 넓이는?

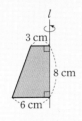

① $70\,cm^2$ ② $72\,cm^2$ ③ $74\,cm^2$

④ $76\,cm^2$ ⑤ $78\,cm^2$

07

다음 그림과 같은 전개도로 만들어지는 입체도형의 부피
는?

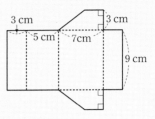

① $135\,cm^3$ ② $145\,cm^3$ ③ $162\,cm^3$

④ $192\,cm^3$ ⑤ $200\,cm^3$

08

다음 그림과 같은 입체도형의 겉넓이를 구하시오.

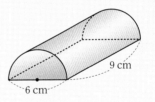

09

다음 그림과 같이 크기와 모양이 같은 직육면체 모양의 그릇에 들어 있는 물의 양은 같다고 한다. 이때, x의 값을 구하시오.

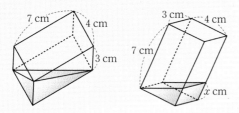

11

다음 그림과 같이 밑면의 반지름의 길이가 6 cm인 원뿔을 꼭짓점 O를 중심으로 하여 3바퀴를 돌렸더니 원래의 자리로 돌아왔다. 이때, 이 원뿔의 옆넓이를 구하시오.

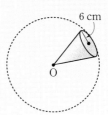

10

다음 그림과 같이 원뿔 모양의 물통에 일정한 속도로 물을 채우려고 한다. 높이 15 cm까지 물을 채우는 데 4분이 걸렸다면 물통에 물을 가득 채울 때까지는 몇 분이 더 필요한지 구하시오.

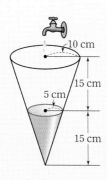

12

다음 그림과 같이 원뿔을 밑면과 평행한 평면으로 잘랐을 때 생긴 두 입체도형 중에서 원뿔대의 겉넓이는?

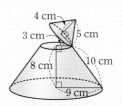

① $150\pi \text{ cm}^2$ ② $210\pi \text{ cm}^2$ ③ $270\pi \text{ cm}^2$
④ $330\pi \text{ cm}^2$ ⑤ $390\pi \text{ cm}^2$

   Tip : 페이지 번호를 클릭하면 스마트매스 를 이용하실 수 있어요!

13

겉넓이가 $324\pi\,\mathrm{cm}^2$인 구의 부피는?

① $540\pi\,\mathrm{cm}^3$ ② $648\pi\,\mathrm{cm}^3$ ③ $756\pi\,\mathrm{cm}^3$

④ $864\pi\,\mathrm{cm}^3$ ⑤ $972\pi\,\mathrm{cm}^3$

14

반지름의 길이가 $3\,\mathrm{cm}$인 쇠구슬을 녹여서 반지름의 길이가 $12\,\mathrm{cm}$인 쇠구슬 1개를 만들려고 한다. 이때, 필요한 반지름의 길이가 $3\,\mathrm{cm}$인 쇠구슬의 개수를 구하시오.

15

다음 그림과 같은 평면도형을 직선 l을 회전축으로 하여 1 회전시킬 때 생기는 회전체의 겉넓이는?

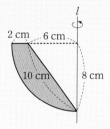

① $184\pi\,\mathrm{cm}^2$ ② $192\pi\,\mathrm{cm}^2$ ③ $200\pi\,\mathrm{cm}^2$

④ $208\pi\,\mathrm{cm}^2$ ⑤ $216\pi\,\mathrm{cm}^2$

16

다음 그림과 같이 원기둥 안에 꼭 맞게 구와 원뿔이 들어 있다. 원기둥의 부피가 $36\pi\,\mathrm{cm}^3$일 때, 원뿔과 구의 부피의 합을 구하시오.

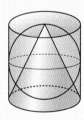

17

아래 그림의 ㈎와 같이 밑면이 반원인 기둥 모양의 그릇에 물이 가득 채워져 있다. 이 그릇을 45°기울였더니 ㈏와 같이 물이 남았다. 다음 물음에 답하시오. [총 6점]

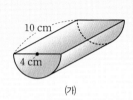

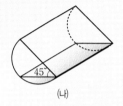

(개) (나)

(1) ㈎와 같이 기울이지 않았을 때의 물의 부피를 구하시오. [2점]

(2) ㈏와 같이 그릇을 45°기울였을 때, 남은 물의 부피를 구하시오. [2점]

(3) 흘러 넘친 물의 부피를 구하시오. [2점]

18

정이십면체를 각 꼭짓점에 모이는 모서리의 삼등분점을 지나도록 자르면 다음 그림과 같이 정오각형과 정육각형으로 이루어진 축구공 모양의 입체도형을 만들 수 있다. 이때, 만들어지는 정오각형의 개수를 a개, 정육각형의 개수를 b개라 할 때, $2a+b$의 값을 구하시오. [10점]

Tip : 페이지 번호를 클릭하면 스마트매쓰⁺를 이용하실 수 있어요!

19

다음 그림과 같이 정사면체의 모서리 AB, AC, CD의 중점을 각각 L, M, N이라 하자. 이때, 세 점 L, M, N을 지나는 평면으로 자를 때 생기는 단면의 모양을 구하시오.

[10점]

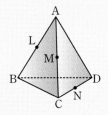

20

다음 그림과 같은 좌표평면 위에 네 점 A(1, 7), B(1, 2), C(2, 2), D(2, 6)이 있다. 사각형 ABCD를 y축을 회전축으로 하여 1회전시킬 때 생기는 입체도형의 부피를 구하시오. [10점]

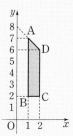

VI

통계

☑ 학습 계획 및 성취도 체크

· 유형 이해도에 따라 ☐ 안에 〇, △, X를 표시합니다.

· 시험 전에 X 표시한 유형은 반드시 한 번 더 풀어 봅니다.

01 줄기와 잎 그림

	학습 계획	1차 학습	2차 학습
유형 01 변량 찾기	/	☐	☐
유형 02 줄기와 잎 그림의 작성	/	☐	☐
유형 03 줄기와 잎 그림의 이해	/	☐	☐
유형 04 평균	/	☐	☐

02 도수분포표

	학습 계획	1차 학습	2차 학습
유형 05 도수분포표의 용어	/	☐	☐
유형 06 도수분포표의 작성	/	☐	☐
유형 07 도수분포표의 이해	/	☐	☐
유형 08 도수분포표에서 미지수 구하기	/	☐	☐

03 히스토그램과 도수분포다각형

	학습 계획	1차 학습	2차 학습
유형 09 히스토그램의 이해	/	☐	☐
유형 10 찢어진 히스토그램	/	☐	☐
유형 11 도수분포다각형의 이해	/	☐	☐
유형 12 찢어진 도수분포다각형	/	☐	☐

04 상대도수

	학습 계획	1차 학습	2차 학습
유형 13 상대도수의 이해	/	☐	☐
유형 14 찢어진 상대도수의 분포표	/	☐	☐
유형 15 상대도수의 비	/	☐	☐
유형 16 상대도수의 분포를 나타낸 그래프	/	☐	☐

VI 통계

1 줄기와 잎 그림

1. 변량: 자료를 수량으로 나타낸 것

2. 줄기와 잎 그림: 변량을 줄기와 잎을 이용하여 나타낸 그림을 줄기와 잎 그림이라 하고, 세로 선의 왼쪽에 있는 수를 줄기, 오른쪽에 있는 수를 잎이라 한다.

줄넘기 횟수

(3 | 2는 32회)

줄기	잎
3	2 3 6 7
4	0 1 2 5 8
5	2 5 9

2 도수분포표와 히스토그램, 도수분포다각형

1. 도수분포표

(1) **계급**: 변량을 일정한 간격으로 나눈 구간

   ① **계급의 크기**: 계급의 양 끝값의 차, 즉 그 구간의 너비

   ② **계급의 개수**: 변량을 나눈 구간의 수

   ③ **계급값**: 계급을 대표하는 값으로 각 계급의 중앙의 값

(2) **도수**: 각 계급에 속한 자료의 개수

(3) **도수분포표**: 주어진 변량 전체를 몇 개의 계급으로 나누고, 각 계급의 도수를 조사하여 나타낸 표

2. 히스토그램

(1) **히스토그램**: 가로축에 도수분포표의 각 계급의 양 끝값을, 세로축에 각 계급의 도수를 차례로 표시하여 직사각형 모양으로 그린 그림

(2) **히스토그램의 특징**

   ① 도수분포표에 비해 도수의 분포 상태를 한눈에 알아보기 쉽다.

   ② (직사각형의 넓이)=(계급의 크기)×(그 계급의 도수)

   ➡ 직사각형의 넓이는 각 계급의 도수에 정비례한다.

   ③ (직사각형의 넓이의 합)={(각 계급의 크기)×(그 계급의 도수)}의 합=(계급의 크기)×(도수의 합)

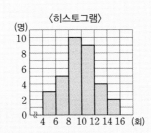

3. 도수분포다각형

(1) **도수분포다각형**: 히스토그램에서 양 끝에 도수가 0인 계급이 있는 것으로 생각하고, 각 직사각형의 윗변의 가운데 점을 선분으로 연결하여 그린 다각형 모양의 그래프

   주의 도수분포다각형에서 계급의 개수를 셀 때, 양 끝에 도수가 0인 계급은 세지 않는다.

(2) 도수분포다각형의 특징

① 자료의 분포 상태를 연속적으로 관찰할 수 있다.

② 도수분포다각형과 가로축으로 둘러싸인 부분의 넓이는 히스토그램의 직사각형의 넓이의 합과 같다.

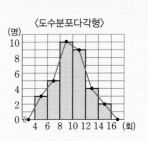

〈도수분포다각형〉

3 평균

1. 평균: 자료 전체의 변량이 주어질 때의 평균은 $(평균) = \dfrac{(변량)의\ 총합}{(변량)의\ 개수}$ 으로 구한다.

2. 도수분포표에서의 평균: 도수분포표에서는 정확한 변량을 알 수 없으므로

$$(평균) = \dfrac{\{(계급값) \times (도수)\}의\ 총합}{(도수)의\ 총합}$$ 을 이용하여 구한다.

4 상대도수와 그래프

1. 상대도수: 도수의 총합에 대한 각 계급의 도수의 비율

$$(각\ 계급의\ 상대도수) = \dfrac{(그\ 계급의\ 도수)}{(도수의\ 총합)}$$

2. 상대도수의 성질

(1) 상대도수의 총합은 항상 1이다.

(2) 각 계급의 상대도수는 그 계급의 도수에 정비례한다.

(3) 전체 도수가 다른 두 집단의 분포 상태를 비교할 때 상대도수를 이용하면 편리하다.

3. 상대도수의 분포를 나타낸 그래프

(1) 상대도수의 분포를 나타낸 그래프: 상대도수의 분포표를 히스토그램이나 도수분포다각형 모양으로 나타낸 그래프

(2) 상대도수의 분포를 나타낸 그래프의 활용

① 전체 도수가 다른 두 자료를 한 그래프에 나타내어 비교하면 두 자료의 분포 상태를 한눈에 알 수 있다.

② 전체 도수가 다른 두 자료를 비교할 때, 도수를 그대로 비교하지 않고 각 계급별로 상대도수를 구하여 비교한다.

01 줄기와 잎 그림

Mstory1 Mstory2

M1 줄기와 잎 그림 ⊗ 개념강의

회원의 나이

(단위: 세)

| 25 | 37 | 41 | 57 | 45 | 35 | 43 |
| 22 | 51 | 35 | 53 | 49 | 58 | 46 |

변량

- 회원 중 가장 적은 나이: 22세
- 회원 중 가장 많은 나이: 58세
- 회원 수가 가장 많은 연령대: 40대

(2|2는 22세)

연령대	나이
20대	25 22
30대	37 35 35
40대	41 45 43 49 46
50대	57 51 53 58

➡

줄기	잎
2	2 5
3	5 5 7
4	1 3 5 6 9
5	1 3 7 8

M2 평균 ⊗ 개념강의

$$(평균) = \frac{(변량)의\ 총합}{(변량)의\ 개수}$$

골 수	0	1	2	3	4	5	6	7	합계
경기 수	10	14	13	14	6	5	1	1	64

- (득점의 총합) $= 0 \times 10 + 1 \times 14 + 2 \times 13 + 3 \times 14 + 4 \times 6 + 5 \times 5 + 6 \times 1 + 7 \times 1$
  $= 144(점)$

- (골 수의 평균) $= \dfrac{(변량)의\ 총합}{(변량)의\ 개수} = \dfrac{144}{64} = 2.25(골)$

 ・ 변량 (變 변하다, 量 양) variate

| 변량 찾기

01

다음 자료는 농구 경기에서 A팀이 얻은 점수를 나타낸 것이다. 가장 작은 변량을 a점, 가장 큰 변량을 b점이라 할 때, $a+b$의 값을 구하시오.

A팀이 얻은 점수 (단위: 점)

75	87	69	78	83	91
88	67	75	87	93	89

 | 줄기와 잎 그림의 작성

02

01의 자료를 보고, 줄기와 잎 그림으로 나타내시오.

A팀이 얻은 점수 (6|7는 67점)

줄기	잎
6	
7	
8	
9	

01

다음은 수학 동아리 학생들이 하루 동안 푼 수학 문제의 수를 나타낸 것이다. 수학 동아리의 학생 수는 모두 몇 명인지 구하시오.

수학 문제의 수 (단위: 개)

36	40	37	12	16	24	17
22	5	19	49	39	37	10

02

01의 자료를 보고, 줄기와 잎 그림으로 나타내시오.

수학 문제의 수 (0|5는 5개)

줄기	잎
0	
1	
2	
3	
4	

유형 | 줄기와 잎 그림의 이해

03

아래는 어느 매장에서 판매 중인 드론의 최고 속력을 조사하여 나타낸 줄기와 잎 그림이다. 다음 중 옳지 않은 것은?

드론의 최고 속력 (5|7은 57 km/h)

줄기	잎				
5	7	8	8	9	
6	0	4	5	6	8
7	1	2	5	6	
8	0	2			

① 잎의 수가 가장 많은 줄기는 6이다.

② 잎의 수가 4개인 줄기는 2개이다.

③ 15개를 대상으로 최고 속력을 조사하였다.

④ 최고 속력이 66 km/h 이상 72 km/h 이하인 드론의 개수는 3개이다.

⑤ 최고 속력이 76 km/h 인 드론은 빠른 편이다.

03

다음은 최근에 본 영화 20편의 상영 시간을 조사하여 나타낸 줄기와 잎 그림이다. 영화 상영 시간이 2시간 이상인 영화는 모두 몇 편인지 구하시오.

영화 상영 시간 (9|2는 92분)

줄기	잎				
9	2	3	9		
10	2	3	6	9	
11	2	3	4	7	8
12	1	2	3	6	7	9
13	0	6			

유형 | 평균

04

다음 자료는 재인이네 반 남학생들의 몸무게를 조사한 것이다. 몸무게의 평균을 구하시오.

(단위: kg)

62	66	56	57
54	53	60	64

04

다음은 어느 버스에 탄 승객 20명을 대상으로 버스를 기다린 시간을 조사하여 나타낸 줄기와 잎 그림이다. 승객들이 기다린 시간의 평균이 11분일 때, a의 값을 구하시오.

버스를 기다린 시간 (0|1은 1분)

줄기	잎							
0	1	2	3	3	4	5	5	8
1	0	1	2	2	3	4	5	7	9
2	0	1	a					

Tip : 페이지 번호를 클릭하면 스마트매쓰⁺를 이용하실 수 있어요!

01

다음 자료는 연아네 반 학생들의 음악 실기 점수를 조사하여 나타낸 것이다. 가장 큰 변량과 가장 작은 변량의 차를 구하시오.

음악 실기 점수 (단위: 점)

82	72	68	62	66	79
77	74	72	75	69	80
72	63	69	71	60	71

02

01의 자료를 보고, 줄기와 잎 그림으로 나타내시오.

음악 실기 점수 (6|0은 60점)

줄기	잎
6	
7	
8	

03

아래는 현주네 반 학생들을 대상으로 하루 동안 보낸 문자 메시지의 개수를 조사하여 나타낸 줄기와 잎 그림이다. 다음 중 옳지 <u>않은</u> 것은?

하루 동안 보낸 문자 메시지의 개수 (0|5는 5개)

줄기	잎							
0	5	8	9					
1	0	5	6	7	8	9	9	
2	0	2	3	4	4	5	6	7	9
3	0	1	2	3	5	6		
4	0	2	4	5				

① 잎의 수가 4개인 줄기는 1개이다.

② 현주네 반 학생은 모두 30명이다.

③ 하루 동안 보낸 문자 메시지의 개수가 10개대인 학생은 7명이다.

④ 하루 동안 보낸 문자 메시지의 개수가 35개 이상인 학생은 5명이다.

⑤ 하루 동안 보낸 문자 메시지의 개수가 30개인 민지는 문자 메시지를 많이 보내는 편이다.

04

다음은 명수네 반 학생들이 1년 동안 읽은 책의 수를 조사하여 나타낸 줄기와 잎 그림이다. 명수네 반 학생들이 1년 동안 읽은 책의 수의 평균을 구하시오.

1년 동안 읽은 책의 수 (1|2는 12권)

줄기	잎				
0	4	6			
1	2	3	4	5	9
2	1	1	5		

생각 ➕

다음 그림은 미소네 반 학생들의 공 던지기 기록을 조사하여 나타낸 줄기와 잎 그림인데 줄기가 2인 자료가 분실되었다. 줄기가 4인 학생 수는 전체 학생 수의 $\frac{1}{5}$이고, 줄기가 2인 학생들의 평균이 24 m일 때, 미소네 반 전체 학생들의 공 던지기 기록의 평균을 구하시오.

공 던지기 기록 (1|2는 12 m)

줄기	잎					
1	2	4				
2						
3	0	2	3	4	5	7
4	1	4	8			

생각 ✚✚

평균이란 통계의 자료 중 하나이다. 사람들은 통계 자료를 무조건 믿는 경향이 있는데 다음의 예로 평균의 함정을 찾아보자.

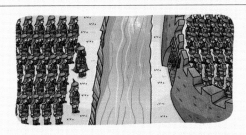

중국에서 전쟁이 일어났다.
강 건너의 적을 공격해야 하는 상황, 장군은 강의 수심을 조사하기로 했다. 이 지역에 오래 살던 노인에게서 강의 평균 수심이 120 cm라는 정보를 얻은 장군은 병사들 중 가장 작은 사람의 키가 140 cm 이상이라는 것을 아는 순간 "공격!" 지시를 하였다.

이 날 장군의 병사들은 모두 강에 빠져 목숨을 잃었다. 그 이유는 무엇인지 말하시오.

생각 ✚✚✚

아래는 다솜이네 반 학생들이 방청소를 하는 데 걸리는 시간을 조사하여 줄기와 잎 그림으로 나타낸 것이다. 다음 중 옳은 것은?

방청소를 하는 데 걸리는 시간　　　(1|0은 10분)

잎(남학생)					줄기	잎(여학생)				
	5	3	2	0	1	0	5			
8	4	2	0	0	2	0	1	3	4	
	5	1	0	0	3	0	3	5	6	7
			3	2	4	0	1	2	3	

① 방청소를 하는 데 10분도 걸리지 않는 사람은 6명이다.
② 여학생 중 방청소를 하는 데 30분 이상 걸리는 사람은 4명이다.
③ 남학생이 여학생보다 방청소를 하는 데 걸리는 시간이 짧다.
④ 방청소를 10분만에 끝낼 수 있는 사람은 없다.
⑤ 방청소를 하는 데 가장 시간이 길게 걸리는 사람과 가장 시간이 짧게 걸리는 사람의 차이는 43분이다.

02 도수분포표

Mstory1 Mstory2

M1 도수분포표 ⚙ 개념강의

5월 강수량(mm)

5월 강수량(mm)	도시 수(개)
0 이상 ~ 20 미만	3
20 ~ 40	2
40 ~ 60	4
60 ~ 80	1
합계	10

• 계급의 크기
$60-40=20(\text{mm})$

• 계급의 개수
4개

• 계급값
$\dfrac{40+60}{2}=50(\text{mm})$

M2 도수분포표의 응용 ⚙ 개념강의

• 음료수 200 mL 안에 들어 있는 당분의 양을 조사하여 나타낸 도수분포표가 다음과 같다.

당분의 양(g)	도수(개)
0 이상 ~ 10 미만	5
10 ~ 20	A
20 ~ 30	B
30 ~ 40	4
40 ~ 50	3
합계	20

(1) 당분의 양이 20 g 미만인 음료수가 전체의 35%라면

$20 \times \dfrac{35}{100} = 7(개)$

$5+A=7$ ∴ $A=2$

(2) B의 값은?

$5+2+B+4+3=20$

∴ $B=20-14=6$

유형 | 도수분포표와 용어

05

다음 빈칸에 알맞은 용어를 써넣으시오.

자료를 수량으로 나타낸 것을 (㉠)이라 하고, 이를 일정하게 나눈 구간을 (㉡), 구간의 너비를 (㉢), 속하는 자료의 수를 (㉣)라 한다.

유형 | 도수분포표의 작성

06

다음은 유범이네 반 학생 25명의 지난 주 휴대 전화 통화 시간을 조사한 자료이다. 이를 이용하여 도수분포표를 완성하시오.

휴대 전화 통화 시간

(단위: 분)

18	32	20	22	49
33	35	44	30	12
41	56	27	31	40
36	29	28	39	10
8	21	15	5	32

→

통화 시간(분)	학생 수(명)
$0^{이상}$ ~ $10^{미만}$	
10 ~ 20	
합계	

05

다음 중 도수분포표에 대한 설명으로 옳지 <u>않은</u> 것은?

① 변량은 자료를 수량으로 나타낸 것이다.

② 계급의 개수가 너무 적으면 좋지 않다.

③ 계급의 크기는 계급의 양 끝값의 합이다.

④ 도수는 각 계급에 속하는 자료의 개수이다.

⑤ 도수분포표는 자료의 전체적인 분포 상태를 알아보기 쉽도록 자료를 분류하여 정리한 것이다.

06

유형 06의 자료를 이용하여 오른쪽과 같은 계급의 개수가 2개인 도수분포표를 완성하시오. 이때, 자료의 분포 상태를 알아보기 쉬운지 설명하시오.

통화 시간(분)	학생 수(명)
$0^{이상}$ ~ $30^{미만}$	
30 ~ 60	
합계	

IV
통계

07

오른쪽 표는 재환이네 반 학생 30명의 50 m 달리기 기록을 조사하여 나타낸 도수분포표이다. 다음 중 옳지 <u>않은</u> 것은?

50 m 달리기 기록(초)	학생 수(명)
$5^{이상}$ ~ $6^{미만}$	1
6 ~ 7	4
7 ~ 8	7
8 ~ 9	12
9 ~ 10	6
합계	30

① 계급의 개수는 5개이다.
② 계급의 크기는 1초이다.
③ 기록이 6.5초인 학생이 속하는 계급의 도수는 4명이다.
④ 50 m 달리기 기록이 8초 이상 9초 미만인 학생은 전체의 40 %이다.
⑤ 50 m 달리기 기록이 5번째로 좋은 학생이 속한 계급은 7초 이상 8초 미만이다.

08

오른쪽 표는 도환이네 반 학생 30명의 통학할 때 걸리는 시간을 조사하여 나타낸 도수분포표이다. 통학 시간이 15분 이상 20분 미만인 학생 수가 통학 시간이 15분 이상인 학생 수의 $\frac{3}{5}$ 일 때, $A-B$의 값은?

통학 시간(분)	학생 수(명)
$5^{이상}$ ~ $10^{미만}$	3
10 ~ 15	7
15 ~ 20	A
20 ~ 25	6
25 ~ 30	B
합계	30

① 6 　　② 7 　　③ 8
④ 9 　　⑤ 10

07

오른쪽 표는 은경이네 반 학생 50명의 몸무게를 조사하여 나타낸 도수분포표이다. 다음 중 옳지 <u>않은</u> 것은?

몸무게(kg)	학생 수(명)
$40^{이상}$ ~ $45^{미만}$	5
45 ~ 50	10
50 ~ 55	18
55 ~ 60	x
60 ~ 65	1
합계	50

① x의 값은 16이다.
② 계급의 크기는 5 kg이다.
③ 몸무게가 55 kg 이상인 학생은 전체의 34 %이다.
④ 몸무게가 50 kg인 학생이 속하는 계급의 도수는 10명이다.
⑤ 몸무게가 20번째로 작은 학생이 속한 계급은 50 kg 이상 55 kg 미만이다.

08

오른쪽 표는 진영이네 반 학생 30명의 멀리뛰기 기록을 조사하여 나타낸 도수분포표이다. A, B의 값의 비가 4 : 1일 때, $A-B$의 값은?

멀리뛰기 기록(cm)	학생 수(명)
$300^{이상}$ ~ $320^{미만}$	2
320 ~ 340	A
340 ~ 360	11
360 ~ 380	7
380 ~ 400	B
합계	30

① 3 　　② 4 　　③ 5
④ 6 　　⑤ 7

Tip : 페이지 번호를 클릭하면 스마트매쓰 를 이용하실 수 있어요!

라디오 수타

라디오 방송 형식으로
배운 내용을 재미있게
수학토파하는 코너

05

다음 중 도수분포표에 대한 설명으로 옳지 <u>않은</u> 것은?

① 구간의 너비를 계급의 크기라 한다.
② 계급의 양 끝값을 계급값이라 한다.
③ 각 계급에 속하는 자료의 수를 도수라 한다.
④ 자료를 수량으로 나타낸 것을 변량이라 한다.
⑤ 각 계급에 속하는 도수를 조사하여 나타낸 표를 도수분포표라 한다.

06

다음은 해영이네 반 학생 20명의 음악 수행 평가 점수를 조사한 것이다. 이를 이용하여 도수분포표를 완성하시오.

음악 수행 평가 점수

(단위: 점)

75	81	86	63	92
77	80	99	89	82
75	90	79	85	70
76	72	84	81	66

점수(점)	학생 수(명)
$60^{이상} \sim 70^{미만}$	
합계	

07

오른쪽 표는 수진이네 반 학생 35명의 오래 매달리기 기록을 조사하여 나타낸 도수분포표이다. 다음 중 옳은 것은?

오래 매달리기 기록(초)	학생 수(명)
$0^{이상} \sim 4^{미만}$	2
4 ～ 8	7
8 ～12	11
12 ～16	8
16 ～20	
20 ～24	3
합계	35

① 오래 매달리기 기록이 0초인 학생도 있다.

② 가장 오래 매달린 학생의 기록은 24초이다.

③ 도수가 두 번째로 큰 계급은 16초 이상 20초 미만이다.

④ 오래 매달리기 기록이 16초 이상인 학생은 전체의 20 %이다.

⑤ 오래 매달리기 기록이 8초인 학생이 속하는 계급의 도수는 7명이다.

08

오른쪽 표는 성민이네 반 학생들의 미술 점수를 조사하여 나타낸 도수분포표이다. 미술 점수가 70점 이상 80점 미만인 학생 수가 미술 점수가 70점 이상인 학생 수의 $\frac{1}{3}$이라 할 때, A, B의 값을 각각 구하시오.

미술 점수(점)	학생 수(명)
$50^{이상} \sim 60^{미만}$	5
60 ～ 70	8
70 ～80	A
80 ～90	14
90 ～100	B
합계	40

생각 +

다음 표는 주영이네 반 학생들의 발 크기를 조사하여 나타낸 도수분포표이다. A, B, C의 비가 $2 : 4 : 3$일 때, A, B, C의 값을 각각 구하시오.

발 크기(mm)	학생 수(명)
$220^{이상} \sim 225^{미만}$	2
225 ～230	A
230 ～235	8
235 ～240	B
240 ～245	C
245 ～250	3
합계	40

계급의 크기가 7인 도수분포표에서 계급 중 하나가 29 이상 36 미만일 때, 변량 9가 속하는 계급을 구하시오.

다음은 1971년부터 1990년까지와 1991년부터 2010년까지의 경기도 인천 지역의 연평균 기온을 조사하여 나타낸 자료이다. 두 자료를 이용하여 도수분포표를 완성하고, 이 지역의 연평균 기온이 어떻게 변하고 있는지 말하시오.

[자료 1] 1971~1990년

10.8	11.0	11.3	11.7
10.6	11.9	11.0	11.6
11.9	12.1	10.3	10.4
11.9	11.8	11.2	11.2
10.9	11.4	11.6	12.5

[자료 2] 1991~2010년

12.4	11.8	11.9	11.4
12.9	11.7	11.6	12.1
13.1	12.6	12.7	12.8
13.1	12.5	12.9	12.0
12.7	12.9	12.8	12.6

연평균 기온(℃)	1971~1990	1991~2010
	도수(일)	도수(일)
10.0이상 ~ 10.5미만		
10.5 ~ 11.0		
11.0 ~ 11.5		
11.5 ~ 12.0		
12.0 ~ 12.5		
12.5 ~ 13.0		
13.0 ~ 13.5		
합계		

03 히스토그램과 도수분포다각형

 Mstory1　 Mstory2

M1 히스토그램 ⊙ 개념강의

[도수분포표]

종례 시간(분)	날 수(일)
5^{이상} ~ 10^{미만}	2
10 ~ 15	5
15 ~ 20	10
20 ~ 25	6
25 ~ 30	1
합계	24

[히스토그램]

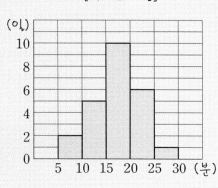

- 가로의 길이: 계급의 크기
- 세로의 길이: 도수
- 직사각형의 넓이는 도수에 정비례!
- (직사각형의 넓이의 합)
  = (계급의 크기)×(도수의 총합)

M2 도수분포다각형 ⊙ 개념강의

[도수분포다각형]

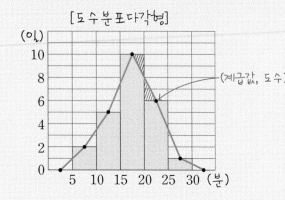

(계급값, 도수)

- (점의 개수)≠(계급의 개수)
- (도수분포다각형과 가로축으로 둘러싸인 넓이)
  = (히스토그램의 직사각형의 넓이의 합)
  = (계급의 크기)×(도수의 총합)

유형 | 히스토그램의 이해

09

다음 그림은 윤수네 반 학생들의 제기차기 기록을 조사하여 나타낸 히스토그램이다. 계급의 크기를 a회, 제기차기를 22회 찬 학생이 속한 계급의 도수를 b명이라 할 때, $a+b$의 값을 구하시오.

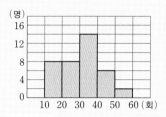

유형 | 찢어진 히스토그램

10

다음 그림은 민준이네 반 학생들의 수학 성적을 조사하여 나타낸 히스토그램인데 일부가 찢어져 보이지 않는다. 수학 성적이 70점 이상 80점 미만인 학생이 전체의 20 %일 때, 수학 성적이 80점 이상 90점 미만인 학생 수를 구하시오.

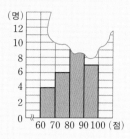

學

09

오른쪽 그림은 은희네 반 학생들의 수면 시간을 조사하여 나타낸 히스토그램이다. 다음 중 옳은 것은?

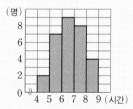

① 계급의 개수는 7개이다.
② 은희네 반 전체 학생 수는 40명이다.
③ 도수가 가장 큰 계급은 8시간 이상 9시간 미만이다.
④ 수면 시간이 6시간 미만인 학생은 전체의 30 %이다.
⑤ 5번째로 잠을 많이 자는 학생이 속하는 계급은 8시간 이상 9시간 미만이다.

學

10

다음 그림은 상은이네 반 학생 35명이 일주일 동안 운동한 시간을 조사하여 나타낸 히스토그램인데 일부가 찢어져 보이지 않는다. 운동 시간이 12시간 이상인 학생이 전체의 40 %라 할 때, 운동 시간이 10시간 이상 12시간 미만인 학생 수를 구하시오.

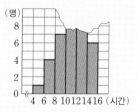

03 히스토그램과 도수분포다각형

유형 | 도수분포다각형의 이해

11

오른쪽 그림은 세영이네 반 학생들이 1년 동안 자란 키를 조사하여 나타낸 도수분포다각형이다. 다음 중 옳은 것은?

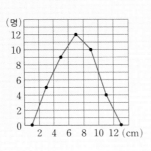

① 계급의 개수는 7개이다.

② 계급의 크기는 4 cm이다.

③ 전체 학생 수는 30명이다.

④ 키가 8 cm 이상 자란 학생은 전체의 30 %이다.

⑤ 키가 6 cm 자란 학생이 속한 계급의 학생 수는 12명이다.

유형 | 찢어진 도수분포다각형

12

오른쪽 그림은 50개의 지역에서 측정한 소음의 크기에 대한 기록을 조사하여 나타낸 도수분포다각형인데 일부가 찢어졌다. 다음 중 옳은 것을 모두 고르면? (정답 2개)

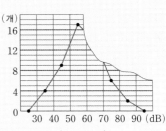

① 소음의 크기가 50 dB 미만인 지역은 9개이다.

② 계급값이 65 dB인 계급의 도수는 12이다.

③ 도수가 가장 큰 계급은 60 dB 이상 70 dB 미만이다.

④ 소음의 크기가 가장 높은 지역의 소음의 크기는 90 dB이다.

⑤ 소음의 크기가 7번째로 큰 지역은 70 dB 이상 80 dB 미만인 계급에 속한다.

11

유형 **11**의 도수분포다각형에서 오른쪽 그림과 같이 삼각형을 색칠하였다. 색칠한 6개의 삼각형 A, B, C, D, E, F 중에서 넓이가 같은 것끼리 바르게 짝지은 것은?

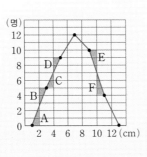

① A와 F ② B와 C ③ C와 D

④ E와 A ⑤ F와 B

12

다음 그림은 어느 반 학생 40명의 오래 매달리기 기록을 조사하여 나타낸 도수분포다각형인데 일부가 찢어져 보이지 않는다. 기록이 25초 미만인 학생 수가 기록이 25초 이상인 학생 수의 2배보다 4명이 많을 때, 기록이 20초 이상 25초 미만인 학생 수를 구하시오.

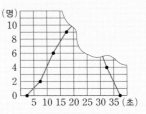

Tip : 페이지 번호를 클릭하면 스마트매쓰⁺를 이용하실 수 있어요!

+MEMO

라디오 수타
라디오 방송 형식으로
배운 내용을 재미있게
수학타파하는 코너

09

오른쪽 그림은 희성이네 반 학생들의 영어 듣기 평가 성적을 조사하여 나타낸 히스토그램이다. 다음 중 옳은 것을 모두 고르면? (정답 2개)

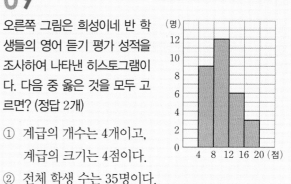

① 계급의 개수는 4개이고, 계급의 크기는 4점이다.
② 전체 학생 수는 35명이다.
③ 성적이 16점 이상인 학생 수는 전체의 10 %이다.
④ 성적이 5번째로 좋은 학생이 속한 계급의 계급값은 10점이다.
⑤ 도수가 가장 큰 계급은 4점 이상 8점 미만이다.

10

다음 그림은 현주네 반 학생 25명의 사회 성적을 조사하여 만든 히스토그램인데 일부가 찢어져 보이지 않는다. 사회 성적이 70점 미만인 학생이 전체의 40 %일 때, 사회 성적이 상위 28 %인 학생이 속하는 계급의 학생 수를 구하시오.

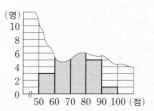

IV
통계

11

유형 11의 도수분포다각형에서 도수분포다각형과 가로축으로 둘러 싸인 부분의 넓이는?

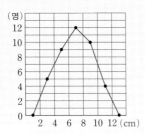

① 40   ② 50   ③ 60

④ 70   ⑤ 80

12

다음 그림은 승원이네 중학교 1학년 학생 100명의 수학 쪽지 시험 점수를 나타낸 도수분포다각형인데 일부가 훼손되어 보이지 않는다. 점수가 12점 이상 14점 미만인 학생 수와 14점 이상 16점 미만인 학생 수의 비가 1 : 2일 때, 14점 이상 16점 미만인 계급에 속하는 학생 수를 구하시오.

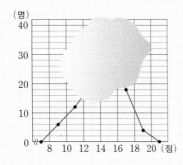

생각➕

다음 그림은 분식 메뉴의 100 g당 열량(kcal)을 조사하여 나타낸 히스토그램인데 계급의 일부가 훼손되어 보이지 않는다. 이 히스토그램의 직사각형의 넓이의 합이 1000일 때, 열량이 높은 쪽에서 10번째인 음식이 속하는 계급을 구하시오.

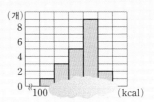

생각 ➕➕

아래 그림은 주민이네 반 여학생과 남학생의 봉사 활동 시간을 조사하여 나타낸 도수분포다각형이다. 다음 중 옳지 않은 것은?

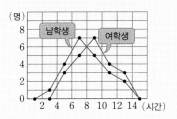

① 봉사 활동 시간이 6시간 이상 10시간 미만인 남학생 수와 여학생 수는 같다.
② 남학생보다 여학생이 대체적으로 봉사 활동을 많이 했다.
③ 봉사 활동 시간이 가장 적은 학생은 남학생 중에 있다.
④ 봉사 활동 시간이 가장 많은 학생은 여학생 중에 있다.
⑤ 남학생의 그래프와 가로축으로, 여학생의 그래프와 가로축으로 둘러싸인 넓이가 같다.

생각 ➕➕➕

다음 그림은 주영이네 반 학생들의 일주일 동안 음악 감상 시간을 조사하여 나타낸 도수분포다각형이다. 색칠한 두 영역의 넓이를 각각 S_1, S_2라 할 때, $\dfrac{S_2}{S_1}$의 값을 기약분수로 나타내시오.

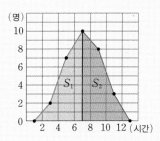

04 상대도수
Mstory1 Mstory2

M1 상대도수 🏵 개념강의

영어 점수(점)	학생 수(명)	상대도수
60^{이상} ~ 70^{미만}	4	$\frac{4}{20}=0.2$
70 ~ 80	9	$\frac{9}{20}=0.45$
80 ~ 90	×3 4	$\frac{4}{20}=0.2$ ×3
90 ~ 100	3	$\frac{3}{20}=0.15$
합계	20	1

- (상대도수)$=\dfrac{(그\ 계급의\ 도수)}{(도수의\ 총합)}$
- (도수)$=$(도수의 총합)×(상대도수)
- (도수의 총합)$=\dfrac{(도수)}{(상대도수)}$
- 상대도수와 도수는 정비례한다.
- 상대도수의 합은 항상 1이다.

M2 상대도수의 분포를 나타낸 그래프 🏵 개념강의

통학 시간(분)	상대도수
10^{이상} ~ 20^{미만}	0.1
20 ~ 30	0.4
30 ~ 40	0.25
40 ~ 50	0.15
50 ~ 60	0.1
합계	1

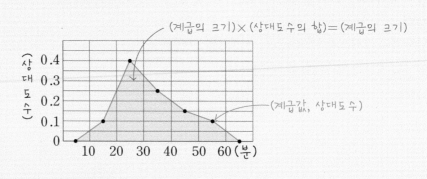

(계급의 크기)×(상대도수의 합)=(계급의 크기)

(계급값, 상대도수)

M3 도수의 합이 다른 두 자료의 비교 🏵 개념강의

학업성취도 점수(점)	A중학교		B중학교	
	학생 수(명)	상대도수	학생 수(명)	상대도수
50^{이상} ~ 60^{미만}	14	0.14	2	0.04
60 ~ 70	26	0.26	6	0.12
70 ~ 80	32	0.32	19	0.38
80 ~ 90	20	0.2	15	0.3
90 ~ 100	8	0.08	8	0.16
합계	100	1	50	1

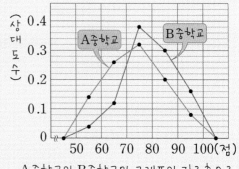

A중학교와 B중학교의 그래프와 가로축으로
둘러싸인 부분의 넓이는 10으로 서로 같다.

유형 | 상대도수의 이해

13

다음 표는 상진이네 반 학생 40명의 통학 시간을 조사하여 나타낸 도수분포표이다. 통학 시간이 40분 이상 50분 미만인 계급의 상대도수를 구하시오.

통학 시간(분)	학생 수(명)
$10^{이상} \sim 20^{미만}$	4
20 ～ 30	11
30 ～ 40	15
40 ～ 50	
50 ～ 60	2
합계	40

유형 | 찢어진 상대도수의 분포표

14

다음 표는 동주네 반 학생들이 하루 동안 보내는 문자 메시지 건수를 조사하여 나타낸 상대도수의 분포표인데 일부가 찢어져 보이지 않는다. 하루 동안 보내는 문자 메시지 건수가 40건 미만인 학생이 15명일 때, 30건 미만인 학생 수를 구하시오.

문자 메세지 건수(건)	학생 수(명)	상대도수
$20^{이상} \sim 30^{미만}$		0.125
30 ～ 40		0.25
40 ～ 50		
합계		

13

다음 표는 수희네 반 학생들의 제자리멀리뛰기 기록을 조사하여 나타낸 상대도수의 분포표이다. A, B, C, D, E의 값을 각각 구하시오.

제자리멀리뛰기 기록(cm)	학생 수(명)	상대도수
$140^{이상} \sim 150^{미만}$	3	0.06
150 ～ 160	A	0.2
160 ～ 170	11	B
170 ～ 180	14	0.28
180 ～ 190	C	0.16
190 ～ 200	4	0.08
합계	D	E

14

다음 표는 어느 중학교 학생들의 100 m 달리기 기록을 조사하여 나타낸 상대도수의 분포표인데 일부가 찢어져 보이지 않는다. 100 m 달리기 기록이 15초 이상인 학생이 전체의 75 %일 때, 100 m 달리기 기록이 14초 이상 15초 미만인 계급의 상대도수를 구하시오.

달리기 기록(초)	학생 수(명)	상대도수
$13^{이상} \sim 14^{미만}$	11	0.055
14 ～ 15		
15 ～ 16		

유형 | 상대도수의 비

15

별이네 중학교의 A반과 B반의 전체 학생 수의 비는 2 : 3 이고, 어떤 계급의 학생 수의 비는 5 : 4일 때, 이 계급의 상대도수의 비는?

① 1 : 1   ② 5 : 6   ③ 6 : 5

④ 8 : 15   ⑤ 15 : 8

유형 | 상대도수의 분포를 나타낸 그래프

16

다음 그림은 종욱이네 중학교 1학년 학생 50명의 일주일 동안 라디오 청취 시간에 대한 상대도수의 분포를 나타낸 그래프인데 일부분이 찢어져 보이지 않는다. 라디오 청취 시간이 3시간 이상 4시간 미만인 계급의 상대도수를 구하시오.

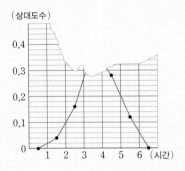

學

15

어느 중학교 1반의 여학생 수는 2반의 여학생 수의 1.5배 이고, 1반의 여학생의 상대도수는 2반의 여학생의 상대도수의 2배이다. 이때, 1반의 학생 수와 2반의 학생 수의 비를 가장 간단한 자연수의 비로 나타내시오.

學

16

다음 그림은 어느 산악회 회원들의 하루 동안 마시는 물의 양에 대한 상대도수의 분포를 나타낸 그래프이다. 마시는 물의 양이 2.0 L 이상 2.5 L 미만인 회원 수가 1.0 L 이상 1.5 L 미만인 회원 수보다 28명 더 많을 때, 마시는 물의 양이 2.5 L 이상인 회원 수를 구하시오.

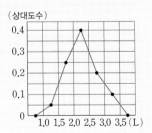

Tip : 페이지 번호를 클릭하면 스마트메쓰⁺를 이용하실 수 있어요!

+MEMO

라디오 수타
라디오 방송 형식으로
배운 내용을 재미있게
수학타파하는 코너

13

오른쪽 표는 미림이네 반 학생들의 하루 동안 마시는 물의 양을 조사하여 나타낸 도수분포표이다. 물을 1.4 L 이상 1.8 L 미만 마시는 학생이 속하는 계급의 상대도수는?

물의 양(L)	학생 수(명)
$0.2^{이상}$ ~ $0.6^{미만}$	5
0.6 ~ 1.0	12
1.0 ~ 1.4	15
1.4 ~ 1.8	
1.8 ~ 2.2	2
합계	40

① 0.05   ② 0.1

③ 0.125   ④ 0.15

⑤ 0.2

14

다음 표는 어느 반 학생들이 체육 시험 성적을 조사하여 나타낸 상대도수의 분포표인데 일부가 찢어져 보이지 않는다. 체육 시험 성적이 80점 이상 90점 미만인 계급의 상대도수는?

체육 시험 성적(점)	학생 수(명)	상대도수
$60^{이상}$ ~ $70^{미만}$	4	0.2
70 ~ 80	5	
80 ~ 90	7	
90 ~100		

① 0.3   ② 0.35   ③ 0.4

④ 0.45   ⑤ 0.5

15

전체 학생 수의 비가 5 : 3인 A, B 두 학급에서 어떤 계급의 상대도수의 비가 3 : 2일 때, 이 계급의 도수의 비는?

① 4 : 1   ② 4 : 3   ③ 5 : 2

④ 5 : 3   ⑤ 6 : 5

16

다음 그림은 승우네 중학교 학생 60명의 지난 달 봉사 활동 시간에 대한 상대도수의 분포를 나타낸 그래프인데 일부가 찢어져 보이지 않는다. 봉사 활동 시간이 8시간 이상 10시간 미만인 학생 수를 구하시오.

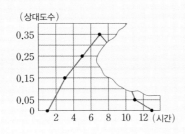

생각➕

다음은 우리나라 성씨 가운데 상대도수가 높은 10개의 성씨와 우리 반 학생들의 성씨의 상대도수를 조사하여 나타낸 표이다. ㈎~㈑에 알맞은 것을 써넣고, 주어진 10개의 성씨 중 전국에서 차지하는 비율보다 우리 반에서 차지하는 비율이 더 높은 성씨는 모두 몇 개인지 말하시오.

성씨	전국의 상대도수	우리 반의 학생 수(명)	우리 반의 상대도수
김金	0.216	8	㈎
이李	0.148	10	0.2
박朴	0.085	6	㈏
최催	0.047	5	㈐
정鄭	0.044	2	0.04
강姜	0.023	3	㈑
조趙	0.021	1	0.02
윤尹	0.021	1	0.02
장張	0.020	2	0.04
임林	0.017	2	0.04
기타	0.358	10	0.2
합계	1	50	1

동원이네 반과 빈이네 반의 학생 수는 각각 27명, 33명이고, 각 반에서 국어 성적이 80점 이상인 학생의 상대도수가 각각 a, b이다. 이 두 반 전체에서 국어 성적이 80점 이상인 학생의 상대도수를 a, b를 사용하여 나타내시오.

	학생 수(명)	상대도수
동원이네 반	27	a
빈이네 반	33	b

생각 ✚✚✚

아래 그림은 여학생 200명, 남학생 300명의 일주일간 컴퓨터 사용 시간에 대한 상대도수의 분포를 나타낸 그래프이다. 다음 〈보기〉에서 옳은 것을 모두 고르시오.

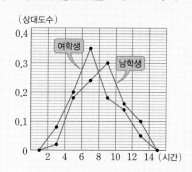

〈 보기 〉

ㄱ. 남학생이 여학생보다 컴퓨터 사용 시간이 더 많다.

ㄴ. 컴퓨터를 6시간 이상 8시간 미만 사용한 학생 수는 여학생이 많다.

ㄷ. 여학생과 남학생의 상대도수의 분포를 나타내는 그래프와 가로축으로 둘러싸인 부분의 넓이는 서로 같다.

단원 종합 문제

〈1번부터 16번까지는 각 문항당 4점입니다.〉

01

오른쪽은 민선이네 반 학생들이 1년 동안 읽은 책의 수를 조사하여 줄기와 잎 그림으로 나타낸 것이다. 민선이가 읽은 책의 수가 23권일 때, 민선이보다 많은 책을 읽은 학생 수를 구하시오.

읽은 책의 수

(0|2는 2권)

줄기	잎
0	2　5
1	0　2　7
2	1　3　4　5　8

02

오른쪽은 소연이네 반 학생들의 수학 점수를 조사하여 나타낸 줄기와 잎 그림이다. 평균 점수가 82점일 때, □ 안에 알맞은 수를 구하시오.

수학 점수

(6|2는 62점)

줄기	잎
6	2　5
7	1　3　□　8
8	2　5　6　8　9
9	0　2　4
10	0

03

다음은 상경이네 반 학생들을 대상으로 식사하는 데 걸리는 시간을 조사하여 나타낸 줄기와 잎 그림이다. 남학생과 여학생 중 식사를 하는 데 걸리는 시간이 더 긴 쪽은 어느 쪽인지 말하시오.

식사 시간

(0|6은 6분)

잎(남학생)	줄기	잎(여학생)
9　7　6	0	7　9
9　7　5　5　4　2	1	5　5　8　8
5　4　1　2	2	0　3　4　5　5
3　2　0	3	0　2　3　5
2　0	4	0　4　5

04

다음은 도수분포표를 만드는 순서이다. ㉠, ㉡에 알맞은 말을 써넣으시오.

❶ 주어진 자료에서 가장 작은 변량과 가장 큰 변량을 찾는다.

❷ ㉠ 를 정하여 계급을 나눈다.

❸ 각 계급에 속하는 변량의 수를 조사하여 계급의 ㉡ 를 구한다.

Tip : 페이지 번호를 클릭하면 스마트매스⁺를 이용하실 수 있어요!

05

오른쪽 표는 은영이네 반 학생 30명의 하루 동안 컴퓨터 이용 시간을 조사하여 나타낸 도수분포표이다. 다음 중 옳은 것을 모두 고르면? (정답 2개)

이용 시간(분)	학생 수(명)
$20^{이상} \sim 40^{미만}$	5
40 ~ 60	7
60 ~ 80	12
80 ~ 100	4
100 ~ 120	2
합계	30

① 계급의 크기는 30분이다.
② 계급의 개수는 5개이다.
③ 컴퓨터 이용 시간이 80분 이상인 학생은 전체의 17 %이다.
④ 컴퓨터 이용 시간이 가장 긴 학생의 컴퓨터 이용 시간은 120분이다.
⑤ 컴퓨터 이용 시간이 7번째로 짧은 학생이 속한 계급의 계급값은 50분이다.

06

오른쪽 표는 정희네 반 학생 35명의 식사 시간을 조사하여 나타낸 도수분포표이다. 식사 시간이 20분 이상인 학생이 전체의 20 %일 때, A, B의 값을 각각 구하시오.

식사 시간(분)	학생 수(명)
$5^{이상} \sim 10^{미만}$	4
10 ~ 15	A
15 ~ 20	10
20 ~ 25	B
25 ~ 30	2
합계	35

07

다음 중 히스토그램에 대한 설명으로 옳지 않은 것은?

① 세로축에는 도수를 표시한다.
② 가로축에는 계급의 크기를 표시한다.
③ 도수분포표에 비해 자료의 분포 상태를 한눈에 알아 보기 쉽다.
④ 각 직사각형의 넓이는 세로의 길이인 각 계급의 도수에 정비례한다.
⑤ 직사각형의 넓이의 합은 계급의 크기와 도수의 총합의 곱과 같다.

08

오른쪽 그림은 영민이네 반 학생들의 100 m 달리기 기록을 조사하여 나타낸 히스토그램이다. 다음 중 옳지 않은 것을 모두 고르면? (정답 2개)

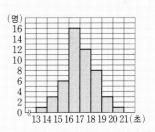

① 전체 학생 수는 50명이다.
② 계급의 크기는 1초이다.
③ 기록이 14초 이상 16초 미만인 학생 수는 3명이다.
④ 도수가 가장 큰 계급의 계급값은 16.5초이다.
⑤ 18초 이상의 기록을 낸 학생은 전체의 25 %이다.

IV
애계

09

오른쪽 그림은 재인이네 반 학생들의 음악 실기 시험의 점수를 조사하여 나타낸 히스토그램이다. 이 히스토그램이 다음 조건을 만족할 때, 성적이 좋은 쪽에서 15번째인 학생이 속하는 계급을 구하시오.

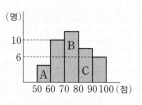

㉮ 직사각형의 넓이의 합은 400이다.
㉯ 직사각형 A, B, C의 넓이의 비는 1 : 3 : 2이다.

10

다음 그림은 성준이네 반 학생들의 제자리 멀리뛰기 기록을 나타낸 도수분포다각형이다. 제자리 멀리뛰기 기록이 180 cm 이상인 학생은 전체의 몇 %인지 구하시오.

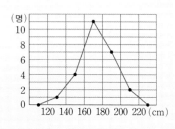

11

다음 그림은 경민이네 중학교 1학년 1반과 2반 학생들의 1학기 기말고사 성적을 조사하여 나타낸 도수분포다각형이다. 1반에서 성적이 상위 25 % 이내에 드는 학생의 성적은 2반에서 최대 상위 몇 % 이내에 드는지 구하시오.
(단, 소수점 아래 첫째 자리에서 반올림한다.)

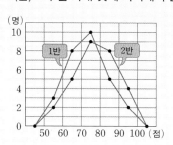

12

어떤 상대도수의 분포표에서 도수가 13일 때, 상대도수는 0.26이다. 이 상대도수의 분포표에서 도수가 a일 때 상대도수는 0.14이고, 도수가 5일 때 상대도수는 b이다. 이때, $a+100b$의 값은?

① 14　　　② 15　　　③ 16
④ 17　　　⑤ 18

　Tip : 페이지 번호를 클릭하면 **스마트매쓰⁺** 를 이용하실 수 있어요!

13

다음 표는 민호네 반 학생들의 영어 듣기 성적을 조사하여 나타낸 상대도수의 분포표이다. $A+B$의 값은?

영어 듣기 성적(점)	학생 수(명)	상대도수
$10^{이상} \sim 12^{미만}$	1	
12 ~ 14	12	A
14 ~ 16		0.16
16 ~ 18	B	0.24
18 ~ 20	2	0.08
합계		1

① 6   ② 6.24   ③ 6.48

④ 7   ⑤ 7.48

14

다음 표는 어느 중학교의 혈액형별 여학생 수와 남학생 수를 조사하여 나타낸 것이다. 남학생이 여학생보다 상대적으로 많은 혈액형을 구하시오.

혈액형	여학생 수(명)	남학생 수(명)
A형	48	56
B형	24	48
AB형	18	24
O형	30	32
합계	120	160

15

오른쪽 그림은 재희네 반 학생 40명의 지난 달 봉사 활동 시간에 대한 상대도수의 분포를 나타낸 그래프인데 일부가 찢어져 보이지 않는다. 다음 중 옳은 것을 모두 고르면? (정답 2개)

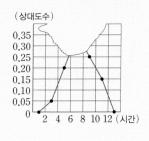

① 봉사 활동 시간이 4시간 미만인 학생은 1명이다.

② 봉사 활동 시간이 8시간 이상인 학생은 16명이다.

③ 상대도수가 가장 큰 계급의 계급값은 7.5시간이다.

④ 봉사 활동 시간이 6시간 이상인 학생은 전체의 65 % 이다.

⑤ 봉사 활동 시간이 10시간인 학생은 봉사 활동 시간이 많은 쪽에서 15 % 이내에 든다.

16

오른쪽 그림은 어느 중학교 1학년 학생 250명과 2학년 학생 200명의 영어 듣기 평가 성적에 대한 상대도수의 분포를 나타낸 그래프이다. 다음 〈보기〉 중 옳은 것을 모두 고르시오.

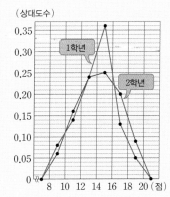

〈 보기 〉

ㄱ. 10점 이상 12점 미만인 계급의 학생 수는 1학년이 더 많다.

ㄴ. 12점 이상 14점 미만인 계급에 속하는 학생 수의 차는 12명이다.

ㄷ. 두 그래프와 가로축으로 둘러싸인 부분의 넓이는 서로 같다.

독심술

17

오른쪽 그림은 어느 반 학생 40명의 수학 성적을 조사하여 나타낸 히스토그램인데 일부가 훼손되어 보이지 않는다. 수학 성적이 60점 이상 70점 미만인 학생이 전체의 25 %일 때, 다음 물음에 답하시오. [총 6점]

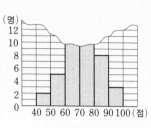

(1) 수학 성적이 60점 이상 70점 미만인 학생 수를 구하시오. [2점]

(2) 수학 성적이 70점 이상 80점 미만인 학생 수를 구하시오. [2점]

(3) 수학 성적이 70점 이상 80점 미만인 학생은 전체의 몇 %인지 구하시오. [2점]

18

미진이네 반 학생 40명의 남학생과 여학생 수의 비가 3 : 2 이다. 1학기 기말고사 수학 성적을 조사하였더니 남학생의 수학 성적의 평균이 여학생의 수학 성적의 평균보다 2점이 높았다. 이때, 미진이네 반 전체 학생의 수학 성적의 평균은 여학생의 수학 성적의 평균보다 몇 점이 높은지 구하시오.

[10점]

19

다음 표는 은수네 반 학생들의 발 크기를 조사하여 나타낸 도수분포표이다. A, B, C의 비가 5 : 6 : 1일 때, 발 크기가 240 mm 이상인 학생은 전체의 몇 %인지 구하시오.

[10점]

발 크기(mm)	학생 수(명)
220^{이상} ~ 225^{미만}	1
225 ~ 230	A
230 ~ 235	B
235 ~ 240	11
240 ~ 245	4
245 ~ 250	C
합계	40

20

다음 표는 M 중학교 1학년 1반 학생들과 1학년 전체 학생들의 50 m 달리기 기록을 조사하여 나타낸 상대도수의 분포표이다. 달리기 기록이 9초 이상 10초 미만인 학생 수가 1반은 10명, 1학년 전체는 55명일 때, 1반 전체 학생 수와 1학년 전체 학생 수를 차례로 구하시오. [10점]

50 m 달리기 기록(초)	상대도수	
	1학년 1반	1학년 전체
6^{이상} ~ 7^{미만}	0.15	0.14
7 ~ 8	0.20	0.18
8 ~ 9	0.35	0.40
9 ~ 10	0.25	0.22
10 ~ 11	0.05	0.06
합계	1	1

MEMO

MEMO

개념엔
유형학습

상위 1%로 가는 지름길

Mbest

개념엔
유형학습

정답과 해설

중학수학 1·2

메가스터디BOOKS

정답과 해설

I 기본 도형

01 점, 선, 면
p. 13 ~ p. 17

유형 01 ④	확 01 ③	유형 02 ③	확 02 3개
유형 03 24	확 03 ④	유형 04 ⑤	확 04 ③
꼼 01 10	꼼 02 ②, ⑤	꼼 03 20개	꼼 04 ②

생각 (가) 선 (나) 면 (다) 교점   생각 ②

생각 ②

02 각
p. 19 ~ p. 23

유형 05 ②	확 05 ③		
유형 06 ④	확 06 $\angle x=55°, \angle y=20°$		
유형 07 ④	확 07 42쌍	유형 08 21	확 08 ⑤
꼼 05 ②	꼼 06 50°	꼼 07 6쌍	꼼 08 ④

생각 55°   생각 ②

생각 $16\dfrac{4}{11}$ 분

03 두 직선의 위치 관계
p. 25 ~ p. 29

유형 09 ㄴ, ㄷ, ㄹ		확 09 ③	
유형 10 ⑤	확 10 1	유형 11 ②	확 11 ④
유형 12 ③	확 12 7개		
꼼 09 ①, ④	꼼 10 5	꼼 11 ⑤	꼼 12 ④

생각 ④   생각 ④

생각 B, C

04 평면의 위치 관계
p. 31 ~ p. 35

유형 13 5	확 13 ②	유형 14 ④	확 14 3개
유형 15 ②, ③	확 15 6	유형 16 $Q \perp R$	확 16 ③
꼼 13 ⑤	꼼 14 3개	꼼 15 ⑤	꼼 16 ④, ⑤

생각 ④   생각 ③

생각 $\overline{DE}, \overline{HI}, \overline{JK}$

05 평행선의 성질
p. 37 ~ p. 41

유형 17 ③	확 17 80°
유형 18 ②, ⑤	확 18 m과 n, p와 q
유형 19 120°	확 19 ②
유형 20 $\angle x=50°, \angle y=65°$	확 20 $\angle x=30°, \angle y=55$

| 꼼 17 ⑤ | 꼼 18 ③ | 꼼 19 ④ | 꼼 20 ④ |

생각 116°, 64°   생각 $\angle x=45°, \angle y=108°$

생각 153°

단원 종합 문제
p. 42 ~ p. 47

01 ③	02 10개	03 66°	04 45°
05 ③	06 180°	07 ③	08 ②
09 ④	10 2	11 ③	12 ①
13 ②	14 17°	15 90°	16 ③

17 (1) 0.5°, 6° (2) 173°, 276° (3) 103°

18 15 cm   19 $\overline{BF}, \overline{EH}$

20 360°

II 작도와 합동

01 간단한 도형의 작도　　　p. 53~p. 57

유형 **01** ㉠, ㉢, ㉡　　　학 **01** ㉠, ㉢, ㉡, ㉣, ㉤

유형 **02** ①, ③　　　학 **02** ㉡, ㉠, ㉢

유형 **03** ④　　　학 **03** ②　　　유형 **04** ㉡　　　학 **04** ④

꼼 **01** ①　　　꼼 **02** ③　　　꼼 **03** ④　　　꼼 **04** ④

생각 ①, ③　　　생각 풀이 참조

생각 풀이 참조

02 삼각형의 작도　　　p. 59~p. 63

유형 **05** ④　　　학 **05** $x>5$

유형 **06** ③　　　학 **06** ㈎ ∠PAQ(∠QAP) ㈏ c ㈐ b

유형 **07** ③, ④　　　학 **07** ㄱ, ㄷ

유형 **08** △AOD, △COB　　　학 **08** ㈎ $\overline{AB}$ ㈏ 정삼각형

꼼 **05** ③　　　꼼 **06** ④　　　꼼 **07** ②　　　꼼 **08** ③

생각 11개　　　생각 ③

생각 ①, ④

03 삼각형의 합동조건　　　p. 65~p. 69

유형 **09** ㈎ 대응한다 ㈏ 대응점 ㈐ 대응변 ㈑ 대응각

학 **09** ③

유형 **10** ④　　　학 **10** ③

유형 **11** ②, ⑤　　　학 **11** 90°

유형 **12** ㄱ과 ㄷ(ASA 합동), ㄴ과 ㅂ(SSS 합동), ㄹ과 ㅁ(SAS 합동)

학 **12** ④

꼼 **09** ②　　　꼼 **10** ④　　　꼼 **11** ③　　　꼼 **12** ⑤

생각 ∠E=75°, $\overline{FG}$=9 cm　　　생각 ④

생각 ③, ④

04 삼각형의 합동조건의 응용　　　p. 71~p. 75

유형 **13** ㈎ ∠COD ㈏ 맞꼭지각 ㈐ SAS

학 **13** △DCO, ASA 합동

유형 **14** ㈎ $\overline{BC}$ ㈏ ∠BCE ㈐ SAS　　　학 **14** ⑤

유형 **15** △ADF와 △DCE, SAS 합동　　　학 **15** 15 cm

유형 **16** ㈎ $\overline{PC}$ ㈏ $\overline{PD}$ ㈐ $\overline{CD}$ ㈑ SSS

학 **16** ㈎ ∠BOP ㈏ ∠BPO ㈐ ASA

꼼 **13** △BOD(또는 △DOB), SAS 합동

꼼 **14** △CBD, SAS 합동

꼼 **15** ③　　　꼼 **16** 풀이 참조

생각 7 cm　　　생각 45°

생각 90°

단원 종합 문제　　　p. 76~p. 81

01 ㄴ, ㄹ, ㅁ	**02** 6 cm	**03** ①	**04** ④
05 ②	**06** ③	**07** 7개	**08** ④
09 ∠F	**10** ②	**11** △COB, SAS 합동	
12 60°	**13** ①	**14** 225°	**15** 55°
16 15°			
17 풀이 참조		**18** 5	
19 16 cm²		**20** 65°	

III ▶ 다각형

IV 원과 부채꼴

01 원과 부채꼴의 성질
p. 115~p. 119

유형 **01** (1) 원 (2) 호 (3) 현 | 學 **01** ⑤

유형 **02** ⑤ | 學 **02** 24 cm | 유형 **03** ④ | 學 **03** ②, ⑤

유형 **04** ③ | 學 **04** ②

꼼 **01** ㉠ 부채꼴 AOE ㉡ 활꼴 ED ㉢ 현 BC | 꼼 **02** 5 cm

꼼 **03** ② | 꼼 **04** 160

생각 8 cm | 생각 ②

생각 풀이 참조

02 원의 둘레의 길이와 넓이
p. 121~p. 125

유형 **05** 15 | 學 **05** $9\pi\,\text{cm}^2$

유형 **06** ③ | 學 **06** $12\pi\,\text{cm}$

유형 **07** ④ | 學 **07** $(100\pi-200)\,\text{cm}^2$

유형 **08** $(4\pi+16)\,\text{cm}$ | 學 **08** $(12\pi+36)\,\text{cm}$

꼼 **05** $6\pi\,\text{cm}$ | 꼼 **06** ②

꼼 **07** ⑤ | 꼼 **08** $(2\pi+10)\,\text{m}$

생각 풀이 참조 | 생각 ①, ⑤

생각 ④

03 부채꼴의 호의 길이와 넓이
p. 127~p. 131

유형 **09** $\dfrac{18}{5}\pi\,\text{cm}$ | 學 **09** 30 cm

유형 **10** ④ | 學 **10** $20\pi\,\text{cm}^2$

유형 **11** $(5\pi+8)\,\text{cm}$ | 學 **11** $(4\pi+12)\,\text{cm}$

유형 **12** $(144-24\pi)\,\text{cm}^2$ | 學 **12** $(8\pi-16)\,\text{cm}^2$

꼼 **09** $\dfrac{3}{2}\pi\,\text{cm}$ | 꼼 **10** ⑤

꼼 **11** $(5\pi+10)\,\text{cm}$ | 꼼 **12** ①

생각 $(50+25\pi)\,\text{cm}^2$ | 생각 6π

생각 $\dfrac{59}{2}\pi\,\text{m}^2$

단원 종합 문제
p. 132~p. 137

01 ③	**02** ⑤	**03** ④	**04** 4 : 1 : 1
05 168°	**06** ④	**07** ⑤	**08** 3 : 1
09 ⑤	**10** $(39\pi+144)\,\text{m}^2$		**11** ④
12 ②	**13** $(4\pi+6)\,\text{cm}$		**14** 7500원
15 ③	**16** ②		

17 (1) $(2\pi+24)\,\text{cm}$ (2) $(4\pi+48)\,\text{cm}^2$

18 12 cm | **19** $2\pi\,\text{cm}^2$

20 $24\,\text{cm}^2$

V 입체도형

01 다면체
p. 145~p. 149

유형 **01** ②, ④   풀 **01** ③   유형 **02** ③   풀 **02** ④

유형 **03** ②   풀 **03** 19

유형 **04** 팔각뿔대   풀 **04** ④

꼼 **01** ㄴ, ㄷ, ㅂ   꼼 **02** ⑤

꼼 **03** 2   꼼 **04** 오각뿔

생각➕ ②, ⑤   생각◉◉ 2

생각◉◉ 48개

02 정다면체
p. 151~p. 155

유형 **05** ③   풀 **05** ④

유형 **06** 정이십면체   풀 **06** 6개

유형 **07** ②   풀 **07** ①

유형 **08** ②   풀 **08** 정팔면체

꼼 **05** ①   꼼 **06** ④   꼼 **07** $\overline{HG}$ 꼼 **08** 20개

생각➕ 풀이 참조   생각◉◉ 5개

생각◉◉ 꼭짓점의 개수: 24개, 모서리의 개수: 36개

03 회전체
p. 157~p. 161

유형 **09** ④   풀 **09** 변 AC

유형 **10** ②   풀 **10** ③

유형 7π cm   풀 **11** ③

유형 **12** ④   풀 **12** ①

꼼 **09** ②   꼼 **10** ③

꼼 **11** 풀이 참조   꼼 **12** ⑤

생각➕ $\dfrac{144}{25}\pi$ cm^2 생각◉◉ 6 cm^2

생각◉◉ ④

04 기둥과 뿔의 겉넓이와 부피
p. 163~p. 167

유형 **13** ④   풀 **13** 768 cm^3

유형 **14** 10 cm   풀 **14** ①

유형 **15** ④   풀 **15** 288 cm^3

유형 **16** ④   풀 **16** $\dfrac{12}{5}$

꼼 **13** ③   꼼 **14** 120π cm^3

꼼 **15** 192 cm^3 꼼 **16** ⑤

생각➕ ③   생각◉◉ $(64\pi-128)$ cm^2

생각◉◉ 32π cm^3

05 구의 겉넓이와 부피
p. 169~p. 173

유형 **17** ③   풀 **17** $\dfrac{875}{6}\pi$ cm^3

유형 **18** ①   풀 **18** ③

유형 **19** ②   풀 **19** 56π cm^3

유형 **20** ⑤   풀 **20** $\dfrac{256}{3}\pi$ cm^3

꼼 **17** ⑤   꼼 **18** 245 cm^2

꼼 **19** $\dfrac{52}{3}\pi$ cm^3 꼼 **20** 576 cm^3

생각➕ 겉넓이: 117π cm^2, 부피: 126π cm^3

생각◉◉ ⑤   생각◉◉ ④

단원 종합 문제
p. 174~p. 179

01 4개	**02** ③	**03** ⑤	**04** ③
05 ⑤	**06** ②	**07** ①	
08 $(54+36\pi)$ cm^2		**09** $\dfrac{7}{3}$	**10** 28분
11 108π cm^2	**12** ②	**13** ⑤	**14** 64개
15 ⑤	**16** 36π cm^3		
17 (1) 80π cm^3 (2) $(40\pi-80)$ cm^3 (3) $(40\pi+80)$ cm^3			
18 44		**19** 정사각형	
20 $\dfrac{40}{3}\pi$			

VI 통계

01 줄기와 잎 그림

p. 185 ~ p. 189

유형 **01** 160   확인 **01** 14명

유형 **02** 풀이 참조   확인 **02** 풀이 참조

유형 **03** ④   확인 **03** 8편   유형 **04** 59 kg   확인 **04** 5

점검 **01** 22점   점검 **02** 풀이 참조

점검 **03** ④   점검 **04** 15권

생각 30.4 m   생각 풀이 참조

생각 ③

02 도수분포표

p. 191 ~ p. 195

유형 **05** ㉠ 변량 ㉡ 계급 ㉢ 계급의 크기 ㉣ 도수   확인 **05** ③

유형 **06** 풀이 참조   확인 **06** 풀이 참조

유형 **07** ⑤   확인 **07** ④   유형 **08** ⑤   확인 **08** ④

점검 **05** ②   점검 **06** 풀이 참조

점검 **07** ④   점검 **08** $A=9$, $B=4$

생각 $A=6$, $B=12$, $C=9$ 생각 8 이상 15 미만

생각 풀이 참조

03 히스토그램과 도수분포다각형

p. 197 ~ p. 201

유형 **09** 18   확인 **09** ④   유형 **10** 13명   확인 **10** 9명

유형 **11** ⑤   확인 **11** ③   유형 **12** ②, ⑤   확인 **12** 11명

점검 **09** ①, ③   점검 **10** 9명   점검 **11** ①   점검 **12** 40명

생각 250 kcal 이상 300 kcal 미만

생각 ④   생각 $\dfrac{8}{7}$

04 상대도수

p. 203 ~ p. 207

유형 **13** 0.2   확인 **13** $A=10$, $B=0.22$, $C=8$, $D=50$, $E=1$

유형 **14** 5명   확인 **14** 0.195   유형 **15** ⑤   확인 **15** 3 : 4

유형 **16** 0.4   확인 **16** 24명

점검 **13** ④   점검 **14** ②   점검 **15** ③   점검 **16** 12명

생각 6개   생각 $\dfrac{9a+11b}{20}$

생각 ㄱ, ㄷ

단원 종합 문제

p. 208 ~ p. 213

01 3명   **02** 5   **03** 여학생

04 ㉠ 계급의 크기 ㉡ 도수   **05** ②, ⑤

06 $A=14$, $B=5$ **07** ②   **08** ③, ⑤

09 70점 이상 80점 미만   **10** 36 %   **11** 43 %

12 ④   **13** ③   **14** B형   **15** ②, ⑤

16 ㄱ, ㄴ, ㄷ

17 (1) 10명 (2) 12명 (3) 30 %

18 1.2점   **19** 15 %

20 40명, 250명

I 기본 도형

01 점, 선, 면

유형 01 ④	學 01 ③	유형 02 ③	學 02 3개
유형 03 24	學 03 ④	유형 04 ⑤	學 04 ③
꼭 01 10	꼭 02 ②, ⑤	꼭 03 20개	꼭 04 ②
생각 (개)선 (내)면 (대)교점	생각⊙⊙ ②		
생각⊙⊙⊙ ②			

유형 01 ④

입체도형에서 교선의 개수는 모서리의 개수이므로
18개, 교점의 개수는 꼭짓점의 개수이므로 12개이다.

學 01 ③

ㄴ. 곡선도 생길 수 있다.

ㄷ. 정육면체에서 교점의 개수는 8개이고, 교선의 개수는 12개이다.

따라서 옳은 것은 ㄱ, ㄴ이다.

유형 02 ③

두 반직선이 서로 같으려면 시작점과 방향이 같아야한다.

$\therefore \overrightarrow{BC}=\overrightarrow{BD}$

學 02 3개

$\overrightarrow{AB}$와 $\overrightarrow{BA}$는 $\overline{BC}$를 포함하지 않으므로 $\overline{BC}$를 포함하는 것의 개수는 3개이다.

유형 03 24

(ⅰ) 네 점 A, B, C, D로 만들 수 있는 직선은
$\overleftrightarrow{AB}, \overleftrightarrow{AC}, \overleftrightarrow{AD}, \overleftrightarrow{BC}, \overleftrightarrow{BD}, \overleftrightarrow{CD}$의 6개이므로
$a=6$

(ⅱ) $\overleftrightarrow{AB}=\overleftrightarrow{BA}$이지만 $\overrightarrow{AB} \neq \overrightarrow{BA}$이므로

(반직선의 개수)=2×(직선의 개수)=12(개)
$\therefore b=12$

(ⅲ) 네 점 A, B, C, D로 만들 수 있는 선분은
$\overline{AB}, \overline{AC}, \overline{AD}, \overline{BC}, \overline{BD}, \overline{CD}$의 6개이므로
$c=6$

$\therefore a+b+c=6+12+6=24$

學 03 ④

6개의 점 A, B, C, D, E, F로 만들 수 있는 직선은
$\overleftrightarrow{AB}, \overleftrightarrow{AC}, \overleftrightarrow{AD}, \overleftrightarrow{AE}, \overleftrightarrow{AF}, \overleftrightarrow{BC}, \overleftrightarrow{BD}, \overleftrightarrow{BE}, \overleftrightarrow{BF},$
$\overleftrightarrow{CD}, \overleftrightarrow{CE}, \overleftrightarrow{CF}, \overleftrightarrow{DE}, \overleftrightarrow{DF}, \overleftrightarrow{EF}$의 15개이다.

유형 04 ⑤

⑤ $\overline{NM}=a$라 하면 $\overline{AB}=4a$이므로 $\overline{NM}=\dfrac{1}{4}\overline{AB}$

學 04 ③

$\overline{AB}:\overline{BD}=2:3$이므로 $\overline{AB}=2x$, $\overline{BD}=3x$라 하면
$\overline{AD}=\overline{AB}+\overline{BD}=2x+3x=5x=45$ $\quad \therefore x=9$
$\therefore \overline{AB}=18(cm)$, $\overline{BD}=27(cm)$
마찬가지로 $\overline{AC}:\overline{CD}=5:4$이므로
$\overline{AC}=5y$, $\overline{CD}=4y$라 하면
$\overline{AD}=\overline{AC}+\overline{CD}=5y+4y=9y=45$ $\quad \therefore y=5$
$\therefore \overline{AC}=25(cm)$, $\overline{CD}=20(cm)$
$\therefore \overline{BC}=\overline{BD}-\overline{CD}=27-20=7(cm)$

꼭 01 10

$a=4$, $b=6$
$\therefore a+b=4+6=10$

꼭 02 ②, ⑤

$\overrightarrow{AB}$: A B C
① $\overrightarrow{AC}$: A B C
② $\overrightarrow{BA}$: A B C
③ $\overleftrightarrow{BC}$: A B C
④ $\overrightarrow{AC}$: A B C
⑤ $\overrightarrow{BC}$: A B C

짧 03 20개

$5 \times 4 = 20$(개)

짧 04 ②

점 M, N은 각각 $\overline{AB}$, $\overline{AM}$의 중점이므로

$\overline{AM} = \dfrac{1}{2}\overline{AB} = \dfrac{1}{2} \times 20 = 10\,(\mathrm{cm})$

$\therefore \overline{NM} = \dfrac{1}{2}\overline{AM} = \dfrac{1}{2} \times 10 = 5\,(\mathrm{cm})$

생각 ○ ㈜ **선** ㈏ **면** ㈐ **교점**

점이 지나간 자리는 선이고, 선이 지나간 자리는 면이고, 선과 선이 만나는 점은 교점이다.

생각 ○○ ②

$\overline{AM} = 3a\,\mathrm{cm}$, $\overline{MB} = 4a\,\mathrm{cm}$라 하면
$\overline{AN} = 2\overline{NB}$이므로

$3a + 10 = 2(4a - 10)$

$3a + 10 = 8a - 20$

$5a = 30$ $\therefore a = 6$

$\therefore \overline{AB} = \overline{AM} + \overline{MB} = 3a + 4a = 7a = 42\,(\mathrm{cm})$

생각 ○○○ ②

주어진 6개의 점으로 만들 수 있는 직선은
$\overleftrightarrow{AB}$, $\overleftrightarrow{AC}$, $\overleftrightarrow{AD}$, $\overleftrightarrow{AE}$, $\overleftrightarrow{BC}$, $\overleftrightarrow{BD}$, $\overleftrightarrow{BE}$, $\overleftrightarrow{BF}$, $\overleftrightarrow{CD}$, $\overleftrightarrow{CE}$, $\overleftrightarrow{CF}$, $\overleftrightarrow{DE}$, $\overleftrightarrow{DF}$의 13개이다.

---

02 각

p. 19 ~ p. 23

유형 05 ②	**학 05** ③		
유형 06 ④	**학 06** $\angle x = 55^\circ$, $\angle y = 20^\circ$		
유형 07 ④	**학 07** 42쌍	**유형 08** 21	**학 08** ⑤
짧 05 ②	**짧 06** 50°	**짧 07** 6쌍	**짧 08** ④
생각 ○ 55°		**생각 ○○** ②	
생각 ○○○ $16\dfrac{4}{11}$ 분			

유형 05 ②

$(4\angle x - 5^\circ) + 90^\circ + (\angle x + 20^\circ) = 180^\circ$에서

$5\angle x + 105^\circ = 180^\circ$

$5\angle x = 75^\circ$

$\therefore \angle x = 15^\circ$

학 05 ③

$\angle COD = \angle a$, $\angle DOE = \angle b$라 하면
$\angle AOC = 2\angle a$, $\angle BOE = 2\angle b$이므로

$3\angle a + 3\angle b = 180^\circ$

$\therefore \angle COE = \angle a + \angle b = 60^\circ$

유형 06 ④

맞꼭지각의 크기는 서로 같으므로

$\angle x + 15^\circ = 2\angle x - 9^\circ$에서

$\angle x = 24^\circ$

평각의 크기는 180°이므로

$(\angle x + 15^\circ) + \angle y = 180^\circ$에서

$24^\circ + 15^\circ + \angle y = 180^\circ$

$\therefore \angle y = 141^\circ$

$\therefore \angle y - \angle x = 141^\circ - 24^\circ = 117^\circ$

학 06 $\angle x = 55^\circ$, $\angle y = 20^\circ$

맞꼭지각의 크기는 서로 같으므로

$(\angle x - 15^\circ) + 90^\circ = 2\angle x + 20^\circ$에서

$\angle x = 55^\circ$

평각의 크기는 180°이므로
$(2\angle x + 20°) + (3\angle y - 10°) = 180°$에서
$2 \times 55° + 20° + 3\angle y - 10° = 180°$
$3\angle y = 60°$
$\therefore \angle y = 20°$

유형 **07** ④

위의 그림에서 맞꼭지각을 모두 구해 보면
∠AOF와 ∠BOE, ∠AOC와 ∠BOD,
∠COE와 ∠DOF, ∠COF와 ∠DOE,
∠AOE와 ∠BOF, ∠AOD와 ∠BOC
의 6쌍이다.

[다른 풀이] 서로 다른 세 직선이 한 점에서 만날 때 생기는 맞꼭지각은
$3 \times (3-1) = 6$(쌍)

참고 서로 다른 n개의 직선이 한 점에서 만날 때 생기는 맞꼭지각은 $n(n-1)$쌍이다.

學 **07** 42쌍

서로 다른 7개의 직선이 한 점에서 만날 때 생기는 맞꼭지각은
$7 \times (7-1) = 42$(쌍)

유형 **08** 21

점 A와 $\overline{CD}$ 사이의 거리는 $\overline{BC}$의 길이와 같으므로
$x = 12$
점 D와 $\overline{BC}$ 사이의 거리는 $\overline{DC}$의 길이와 같으므로
$y = 9$
$\therefore x + y = 12 + 9 = 21$

學 **08** ⑤

⑤ 다음 그림과 같이 점 C에서 $\overleftrightarrow{AD}$에 내린 수선의 발은 점 H이다.

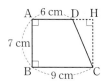

習 **05** ②

$\angle x : \angle y : \angle z = 2 : 3 : 5$이므로
$\angle x = 2k$, $\angle y = 3k$, $\angle z = 5k\,(k \neq 0)$라 하면
$2k + 3k + 5k = 180°$, $10k = 180°$
$\therefore k = 18°$
$\therefore \angle y = 3k = 3 \times 18° = 54°$

習 **06** 50°

$(\angle x + 30°) + 90° + (3\angle x - 20°) = 180°$에서
$4\angle x = 80°$ $\therefore \angle x = 20°$
이때, 맞꼭지각의 크기는 서로 같으므로
$\angle a = \angle x + 30° = 20° + 30° = 50°$

習 **07** 6쌍

서로 다른 2개의 직선이 한 점에서 만날 때 생기는 맞꼭지각은 2쌍이므로 총 6쌍의 맞꼭지각이 생긴다.

習 **08** ④

④ 점 A와 $\overline{BC}$ 사이의 거리는 $\overline{AH}$의 길이이므로 5 cm이다.

생각 ⊙ 55°

$\angle COD = \angle DOE = \angle a$,
$\angle EOF = \angle FOB = \angle b$라 하면
$70° + 2\angle a + 2\angle b = 180°$, $2\angle a + 2\angle b = 110°$
$\therefore \angle a + \angle b = 55°$
$\therefore \angle DOF = \angle a + \angle b = 55°$

생각 ○○ ②

〈반사의 법칙〉에 의해 입사각의 크기 와 반사각의 크기는 같으므로 오른쪽 그림에서

$$\angle x + \angle y = 90°$$

이를 만족하는 $\angle x$, $\angle y$의 크기는 ②이다.

생각 ○○○ $16\dfrac{4}{11}$분

흘러간 시간을 x분이라 하자.

분침은 1분에 6°씩, 시침은 1분에 0.5°씩 움직이므로

$$6x - 0.5x = 180 - 90$$

$$\dfrac{11}{2}x = 90$$

$$\therefore x = 16\dfrac{4}{11}\,(\text{분})$$

---

03 두 직선의 위치 관계

p. 25 ~ p. 29

유형 09 ㄴ, ㄷ, ㄹ		**학 09** ③	
유형 10 ⑤	**학 10** 1	**유형 11** ②	**학 11** ④
유형 12 ③	**학 12** 7개		
점검 09 ①, ④	**점검 10** 5	**점검 11** ⑤	**점검 12** ④
생각 ○ ④		**생각 ○○** ④	
생각 ○○○ B, C			

유형 09 ㄴ, ㄷ, ㄹ

ㄱ. 점 A는 평면 P 위에 있지 않다.

따라서 옳은 것은 ㄴ, ㄷ, ㄹ이다.

학 09 ③

③ 점 C는 직선 m 위에 있지 않다.

유형 10 ⑤

⑤ $\overleftrightarrow{\text{AH}}$와 한 점에서 만나는 직선은 $\overleftrightarrow{\text{AB}}$, $\overleftrightarrow{\text{BC}}$, $\overleftrightarrow{\text{CD}}$, $\overleftrightarrow{\text{HG}}$, $\overleftrightarrow{\text{GF}}$, $\overleftrightarrow{\text{EF}}$의 6개이다.

학 10 1

$\overline{\text{AD}}$와 평행한 변은 $\overline{\text{BC}}$이므로 $a = 1$

$\overline{\text{AB}}$와 평행한 변은 없으므로 $b = 0$

$$\therefore a + b = 1 + 0 = 1$$

유형 11 ②

① 모서리 AB와 모서리 IJ는 꼬인 위치에 있다.

② 모서리 BG와 평행한 모서리는 $\overline{\text{AF}}$, $\overline{\text{CH}}$, $\overline{\text{DI}}$, $\overline{\text{EJ}}$ 의 4개이다.

③ 모서리 AE와 평행한 모서리는 $\overline{\text{FJ}}$의 1개이다.

④ 모서리 CD와 수직으로 만나는 모서리는 $\overline{\text{CH}}$, $\overline{\text{DI}}$ 의 2개이다.

⑤ 모서리 CH와 수직으로 만나는 모서리는 $\overline{\text{CD}}$, $\overline{\text{HI}}$, $\overline{\text{BC}}$, $\overline{\text{GH}}$의 4개이다.

학 11 ④

모서리 AB와 꼬인 위치에 있는 모서리는
$\overline{\text{VC}}$, $\overline{\text{VD}}$, $\overline{\text{CG}}$, $\overline{\text{DH}}$, $\overline{\text{EH}}$, $\overline{\text{FG}}$의 6개이다.

유형 12 ③

③ 꼬인 위치에 있는 두 직선은 한 평면에 있지 않으므
로 평면을 결정할 수 없다.

학 12 7개

한 직선 위에 있지 않은 세 점으로 결정되는 평면은
면 ABC, 면 ABD, 면 ABE, 면 ACD, 면 ACE,
면 ADE, 면 BCD의 7개이다.

참고 면 BCD, 면 BCE, 면 BDE, 면 CDE는 모두 같은 평면이
다.

쌍 09 ①, ④

① 점 B는 직선 l 위에 있고, 직선 m 위에 있지 않다.
④ 두 점 C, E를 지나는 직선은 m이다.

쌍 10 5

$a=5$, $b=0$
$\therefore a+b=5+0=5$

쌍 11 ⑤

모서리 AB와 수직으로 만나는 모서리는 $\overline{\text{AG}}$, $\overline{\text{BH}}$의
2개이므로 $a=2$
모서리 AB와 평행한 모서리는 $\overline{\text{DE}}$, $\overline{\text{GH}}$, $\overline{\text{JK}}$의 3개
이므로 $b=3$
모서리 AB와 꼬인 위치에 있는 모서리는
$\overline{\text{CI}}$, $\overline{\text{DJ}}$, $\overline{\text{EK}}$, $\overline{\text{FL}}$, $\overline{\text{HI}}$, $\overline{\text{IJ}}$, $\overline{\text{KL}}$, $\overline{\text{GL}}$의 8개이므로
$c=8$
$\therefore a+b+c=2+3+8=13$

쌍 12 ④

한 직선 위에 있지 않은 세 점으로 결정되는 평면은
면 ABC, 면 ABD, 면 ACD, 면 BCD의 4개이다.

생각 ○ ④

ㄱ. $l \perp m$, $m \perp n$이면 $l /\!/ n$이다.
따라서 옳은 것은 ㄴ, ㄷ이다.

생각 ○○ ④

주어진 전개도를 접으면 다음 그림과 같은 정육면체이
다.

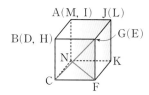

따라서 $\overline{\text{NF}}$와 $\overline{\text{CE}}$는 꼬인 위치에 있다.

생각 ○○○ B, C

A: 평면 위의 세 점이 한 직선 위에 있으면 평면을 결
정하지 못한다.
따라서 위치를 정확하게 전달한 사람은 B와 C이다.

04 평면의 위치 관계
p. 31 ~ p. 35

유형 **13** 5	學 **13** ②	유형 **14** ④	學 **14** 3개
유형 **15** ②, ③	學 **15** 6	유형 **16** $Q \perp R$	學 **16** ③
깸 **13** ⑤	깸 **14** 3개	깸 **15** ③	깸 **16** ④, ⑤
생각 ④		생각 ③	
생각 $\overline{DE}$, $\overline{HI}$, $\overline{JK}$			

유형 **13** 5

면 ABC와 평행한 모서리는 $\overline{DE}$, $\overline{EF}$, $\overline{FD}$의 3개이므로 $a = 3$
면 ADEB와 수직인 모서리는 $\overline{BC}$, $\overline{EF}$의 2개이므로 $b = 2$
$\therefore a + b = 3 + 2 = 5$

學 **13** ②

② 면 AEGC와 평행한 모서리는 $\overline{BF}$, $\overline{DH}$의 2개이다.
③ 모서리 AE와 수직인 면은 면 ABCD, 면 EFGH의 2개이다.
⑤ 면 CGHD와 수직인 모서리는 $\overline{AD}$, $\overline{BC}$, $\overline{FG}$, $\overline{EH}$로 서로 평행하다.

유형 **14** ④

서로 평행한 두 면은 면 ABCDEF와 면 GHIJKL, 면 ABHG와 면 DJKE, 면 BHIC와 면 FLKE, 면 CIJD와 면 AGLF의 4쌍이다.

學 **14** 3개

면 AEGC와 수직인 면은 면 ABCD, 면 EFGH, 면 BFHD의 3개이다.

유형 **15** ②, ③

① $\overline{BE}$와 면 BFC는 한 점에서 만난다.
③ $\overline{EF}$와 평행한 면은 면 ABC, 면 ADGC의 2개이다.

④ $\overline{BC}$와 면 CFG는 한 점에서 만난다.
⑤ $\overline{CF}$와 면 ABED는 평행하다.

學 **15** 6

면 BFGC와 수직인 면은 면 ABCD, 면 ABFE, 면 EFGH, 면 CGHD의 4개이므로 $a = 4$
면 CGHD와 평행한 모서리는 $\overline{AB}$, $\overline{EF}$의 2개이므로 $b = 2$
$\therefore a + b = 6$

유형 **16** $Q \perp R$

$P \perp Q$, $P /\!/ R$이면 $Q \perp R$이다.

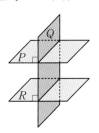

學 **16** ③

ㄱ. 한 직선에 평행한 두 평면은 만날 수도 있다.
ㄹ. 한 평면에 수직인 두 평면은 수직일 수도 있다.
따라서 두 평면이 평행한 경우는 ㄴ, ㄷ이다.

깸 **13** ⑤

ㄱ. 면 ABCD와 평행한 모서리는 $\overline{EF}$, $\overline{FG}$, $\overline{GH}$, $\overline{EH}$의 4개이다.
ㄴ. 모서리 BF와 평행한 면은 면 AEHD, 면 CGHD의 2개이다.
ㄷ. 모서리 CD와 한 점에서 만나는 면은 면 BFGC, 면 AEHD의 2개이다.
따라서 옳은 것은 ㄱ, ㄷ이다.

깸 **14** 3개

면 ADEB와 수직인 면은 면 ABC, 면 DEF, 면 BEFC의 3개이다.

빵 15 ③

면 ABE와 수직인 면은 면 AEFD, 면 ABCD,
면 BCFE의 3개이므로 $a=3$
면 AEFD와 평행한 모서리는 $\overline{BC}$의 1개이므로 $b=1$
∴ $a+b=3+1=4$

빵 16 ④, ⑤

① m, n은 수직으로 만나거나 꼬인 위치에 있다.
② l, m은 수직으로 만나거나 꼬인 위치에 있다.
③ l, m은 평행하다.

생각 ○ ④

다음 그림과 같이 $P \perp Q$, $Q \perp R$, $R \perp P$인 세 평면
P, Q, R에 의해 공간은 8부분으로 나누어진다.

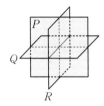

생각 ○○ ③

$\overline{AF} \perp \overline{FC}$, $\overline{AF} \perp \overline{FE}$이면 $\overline{AF}$와 면 FCDE는 수직
이다.
또, 면 ABCF가 $\overline{AF}$를 포함하고 있으므로 두 평면이
서로 수직이다.

생각 ○○○ $\overline{DE}$, $\overline{HI}$, $\overline{JK}$

주어진 전개도로 정육면체를 만들면 아래 그림과 같다.

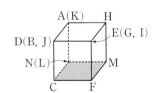

따라서 〈보기〉에서 면 CFMN과 평행한 모서리는
$\overline{DE}$, $\overline{HI}$, $\overline{JK}$이다.

---

05 평행선의 성질

p. 37~p. 41

유형 17 ③	**확 17** 80°		
유형 18 ②, ⑤		**확 18** m과 n, p와 q	
유형 19 120°	**확 19** ②		
유형 20 $\angle x=50°$, $\angle y=65°$		**확 20** $\angle x=30°$, $\angle y=55°$	
빵 17 ⑤	**빵 18** ③	**빵 19** ④	**빵 20** ④
생각 116°, 64°		**생각 $\angle x=45°$, $\angle y=108°$**	
생각 153°			

유형 17 ③

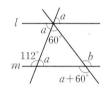

위의 그림에서 $l \,/\!/\, m$이고 동위각과 맞꼭지각의 크기
는 각각 같으므로
$\angle a = 180° - 112° - 68°$
$\angle b = 60° + \angle a = 60° + 68° = 128°$
∴ $\angle a + \angle b = 68° + 128° = 196°$

확 17 80°

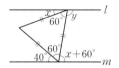

정삼각형의 한 내각의 크기는 60°이므로 $\angle y$의 엇각의
크기는
$40° + 60° = 100°$
∴ $\angle y = 100°$
또, $\angle x + 60° + \angle y = 180°$이므로
$\angle x + 160° = 180°$　　∴ $\angle x = 20°$
∴ $\angle y - \angle x = 100° - 20° = 80°$

유형 18 ②, ⑤

② 엇각의 크기가 같으므로 $l \parallel m$이다.
⑤ 동위각의 크기가 같으므로 $l \parallel m$이다.

學 18 m과 n, p와 q

(ⅰ) 두 직선 m, n이 직선 q와 만날 때
동위각의 크기가 같으므로 $m \parallel n$
(ⅱ) 두 직선 p, q가 직선 m과 만날 때
엇각의 크기가 같으므로 $p \parallel q$

유형 19 $120°$

다음 그림과 같이 l, m에 평행한 직선 n을 그으면

$\angle x = 180° - 60° = 120°$

學 19 ②

다음 그림과 같이 l, m에 평행한 직선 p, q를 그으면

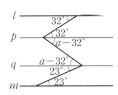

$(\angle a - 32°) + 23° = \angle b$
$\therefore \angle a - \angle b = 9°$

유형 20 $\angle x = 50°$, $\angle y = 65°$

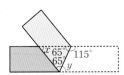

위의 그림에서
$\angle y + 115° = 180°$이므로
$\angle y = 65°$
$\angle x + 65° + 65° = 180°$이므로
$\angle x = 50°$

學 20 $\angle x = 30°$, $\angle y = 55°$

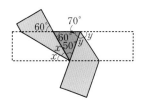

위의 그림에서
$2\angle x = 60°$이므로
$\angle x = 30°$
$180° - 70° = 2\angle y$이므로
$\angle y = 55°$

習 17 ⑤

$l \parallel m$이므로
$\angle y = 3\angle x - 10°$(동위각)
따라서 $(2\angle x + 30°) + (3\angle x - 10°) = 180°$이므로
$5\angle x = 160°$
$\therefore \angle x = 32°$
$\angle y = 96° - 10° = 86°$
$\therefore \angle x + \angle y = 32° + 86° = 118°$

習 18 ③

③ $\angle c = 120°$이면 $\angle c + \angle d = 180°$에서
$\angle d = 60°$
즉, 동위각의 크기가 같으므로 $l \parallel m$이다.

習 19 ④

다음 그림과 같이 l, m에 평행한 직선 p, q를 그으면

$\angle x = 25° + 95° = 120°$

확인 20 ④

$\angle a = 180° - (64° + 64°) = 52°$

$\angle b = 90° - (26° + 26°) = 38°$

$\therefore \ \angle a - \angle b = 52° - 38° = 14°$

생각 ◇ $116°, \ 64°$

$\angle a$의 동위각은 $\angle e$와 $\angle g$이고

$\angle e = 52°, \ \angle g = 180° - 116° = 64°$

이므로

$\angle a$의 모든 동위각의 크기의 합은

$\angle e + \angle g = 52° + 64° = 116°$

$\angle a$의 엇각은 $\angle i$뿐이므로 $\angle a$의 모든 엇각의 크기의

합은

$\angle i = 180° - 116° = 64°$

생각 ◇◇ $\angle x = 45°, \ \angle y = 108°$

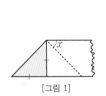
[그림 1]

[그림 2]

[그림 1]에서

$\angle x = \dfrac{1}{2} \times 90° = 45°$

또, [그림 2]에서 동측내각의 크기의 합은 $180°$이므로

$\angle y = 180° - 72° = 108°$

생각 ◇◇◇ $153°$

다음 그림과 같이 $\angle b$, $\angle c$, $\angle d$의 꼭짓점을 지나고

두 직선 l, m에 평행한 세 직선을 그으면

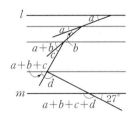

$\angle a + \angle b + \angle c + \angle d + 27° = 180°$

$\therefore \ \angle a + \angle b + \angle c + \angle d = 153°$

단원 종합 문제   p. 43~p. 47

01 ③	02 10개	03 66°	04 45°
05 ③	06 180°	07 ③	08 ②
09 ④	10 2	11 ③	12 ①
13 ②	14 17°	15 90°	16 ③
17 (1) 0.5°, 6°		(2) 173°, 276°	(3) 103°
18 15 cm		19 $\overline{BF}$, $\overline{EH}$	
20 360°			

01 ③

02 10개
$4 \times 2 + 2 = 10$(개)

03 66°
$\angle AOB + \angle BOC = 90°$에서
$\angle AOB = 90° - \angle BOC$
$\angle BOC + \angle COD = 90°$에서
$\angle COD = 90° - \angle BOC$
$\therefore \angle AOB = \angle COD$
또, $\angle AOB + \angle COD = 48°$이므로
$\angle AOB = \angle COD = 24°$
$\therefore \angle BOC = 90° - \angle AOB = 90° - 24° = 66°$

04 45°
$\angle x : \angle y : \angle z = 3 : 7 : 2$이므로
$\angle x = 3k$, $\angle y = 7k$, $\angle z = 2k\,(k \neq 0)$라 하면
$3k + 7k + 2k = 180°$, $12k = 180°$ $\therefore k = 15°$
$\therefore \angle x = 3k = 3 \times 15° = 45°$

05 ③
ㄷ. 점 B와 직선 CD 사이의 거리는 $\overline{BH}$의 길이이다.
따라서 옳은 것은 ㄱ, ㄴ, ㄹ이다.

06 180°
맞꼭지각의 크기는 서로 같으므로 다음 그림에서

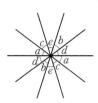

$\angle a + \angle b + \angle c + \angle d + \angle e = 180°$

07 ③
$l \perp m$, $l /\!/ n$이면 $m \perp n$이다.

08 ②
①, ③, ④, ⑤ $\overline{BC}$와 꼬인 위치에 있다.
② $\overline{BF}$는 $\overline{BC}$와 수직으로 만난다.

09 ④
④ $\overline{DF}$는 $\overline{AB}$와 평행하다.

10 2
모서리 PQ와 꼬인 위치에 있는 모서리는 $\overline{AD}$, $\overline{DC}$, $\overline{CR}$, $\overline{CG}$, $\overline{DH}$, $\overline{FG}$, $\overline{GH}$, $\overline{EH}$의 8개이므로
$a = 8$
모서리 AP와 평행한 면은 면 DHGC, 면 EFGH의 2개이므로
$b = 2$
면 EFGH에 수직인 모서리는 $\overline{AE}$, $\overline{QF}$, $\overline{CG}$, $\overline{DH}$의 4개이므로
$c = 4$
$\therefore a - b - c = 8 - 2 - 4 = 2$

11 ③

주어진 전개도로 정육면체를 만들면 다음 그림과 같으므로 면 ABCN과 수직인 모서리가 아닌 것은 $\overline{FG}$이다.

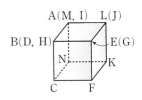

12 ①

다음 그림에서 $P /\!/ Q$일 때, 두 평면 P, Q와 평면 R가 만나서 생기는 두 직선 l, m에 대하여 $l /\!/ m$이다.

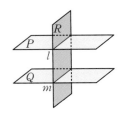

13 ②

∠e의 동위각은 ∠a, 엇각은 ∠c, 맞꼭지각은 ∠g이다.

∴ ∠a, ∠c, ∠g

14 17°

다음 그림과 같이 점 D를 지나고 l, m에 평행한 직선 n을 그으면

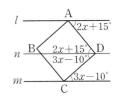

∠ADC = 90°이므로

$(2∠x + 15°) + (3∠x - 10°) = 90°$

$5∠x = 85°$

∴ $∠x = 17°$

15 90°

$l /\!/ m$이므로 동측내각의 크기의 합은 180°이다.

∠BAD = ∠DAC = ∠a,

∠ACB = ∠BCD = ∠b라 하면

$2∠a + 2∠b = 180°$

∴ $∠a + ∠b = 90°$ ...... ㉠

이때, $2∠a : 2∠b = 5 : 4$이므로

$∠a : ∠b = 5 : 4$ ...... ㉡

㉠, ㉡에서 $∠a = 50°$, $∠b = 40°$

이때, $l /\!/ m$이므로 $∠x = ∠b = 40°$(엇각)

$l /\!/ m$이므로 $∠y = ∠a = 50°$(엇각)

∴ $∠x + ∠y = 40° + 50° = 90°$

16 ③

∠BEB′ = 180° - 64° = 116°

이므로

∠AEB = ∠AEB′ = 58°

△ABE에서 ∠B = 90°이므로

∠B′AE = ∠BAE = 90° - 58° = 32°

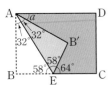

∴ $∠a = 90° - (32° + 32°) = 26°$

17 (1) 0.5°, 6° (2) 173°, 276° (3) 103°

(1) 시침은 1분에 $\dfrac{30°}{60} = 0.5°$,

분침은 1분에 $\dfrac{360°}{60} = 6°$씩 움직인다. ··· [2점]

(2) 시침이 시계의 12를 가리킬 때부터 5시 46분이 될 때까지 움직인 각도는

$30° × 5 + 0.5° × 46 = 173°$

분침이 시계의 12를 가리킬 때부터 5시 46분이 될 때까지 움직인 각도는 $6° × 46 = 276°$ ··· [2점]

(3) 시침과 분침이 이루는 각의 크기는

$276° - 173° = 103°$ ··· [2점]

18 15cm

주어진 조건을 그림으로 나타내면 다음과 같다.

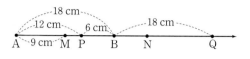

··· [3점]

$\overline{\text{MP}}=12-9=3(\text{cm})$,

$\overline{\text{PN}}=\dfrac{1}{2}\overline{\text{PQ}}=\dfrac{1}{2}\times 24=12(\text{cm})$ ··· [5점]

$\therefore \overline{\text{MN}}=\overline{\text{MP}}+\overline{\text{PN}}=3+12=15(\text{cm})$ ··· [2점]

19 $\overline{\text{BF}}$, $\overline{\text{EH}}$

$\overline{\text{AG}}$와 꼬인 위치에 있는 모서리는 $\overline{\text{BC}}$, $\overline{\text{CD}}$, $\overline{\text{EF}}$, $\overline{\text{EH}}$, $\overline{\text{BF}}$, $\overline{\text{DH}}$이다. ··· [4점]

또, $\overline{\text{CD}}$와 꼬인 위치에 있는 모서리는 $\overline{\text{AE}}$, $\overline{\text{BF}}$, $\overline{\text{EH}}$, $\overline{\text{FG}}$이다. ··· [4점]

따라서 $\overline{\text{AG}}$, $\overline{\text{CD}}$와 동시에 꼬인 위치에 있는 모서리는 $\overline{\text{BF}}$, $\overline{\text{EH}}$이다. ··· [2점]

20 360°

다음 그림에서 △ABC의 세 내각의 크기의 합은 180°이므로

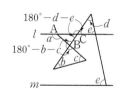

··· [4점]

$(180°-\angle a)+(180°-\angle b-\angle c)$
$\qquad\qquad +(180°-\angle d-\angle e)=180°$

$540°-(\angle a+\angle b+\angle c+\angle d+\angle e)=180°$

$\therefore \angle a+\angle b+\angle c+\angle d+\angle e=360°$ ··· [6점]

II 작도와 합동

01 간단한 도형의 작도
p. 53 ~ p. 57

유형 01 ㉠, ㉢, ㉡	學 01 ㉠, ㉢, ㉡, ㉣, ㉤
유형 02 ①, ③	學 02 ㉢, ㉠, ㉡
유형 03 ④ · 學 03 ②	유형 04 ㉡ · 學 04 ④
찰 01 ① · 찰 02 ③	찰 03 ④ · 찰 04 ④
생각 ①, ③	생각 풀이 참조
생각 풀이 참조	

유형 01 ㉠, ㉢, ㉡

學 01 ㉠, ㉢, ㉡, ㉣, ㉤

㉠ 점 O를 중심으로 하는 원을 그려 $\overrightarrow{\text{OX}}$, $\overrightarrow{\text{OY}}$와의 교점을 각각 A, B라 한다.

㉢ 점 P를 중심으로 하고 반지름의 길이가 $\overline{\text{OA}}$ (또는 $\overline{\text{OB}}$)인 원을 그려 $\overrightarrow{\text{PQ}}$와의 교점을 D라 한다.

㉡, ㉣ 점 D를 중심으로 하고 반지름의 길이가 $\overline{\text{AB}}$인 원을 그려 ㉢에서 그린 원과의 교점을 C라 한다.

㉤ 두 점 P, C를 연결한다.
➡ $\angle\text{XOY}=\angle\text{CPD}$

유형 02 ①, ③

① 작도 순서는 ㉠ → ㉢ → ㉡ 또는 ㉢ → ㉠ → ㉡ 이다.

③ $\overline{\text{AC}}=\overline{\text{BC}}=\overline{\text{AD}}=\overline{\text{BD}}$, $\overline{\text{OA}}=\overline{\text{OB}}$, $\overline{\text{OC}}=\overline{\text{OD}}$

學 02 ㉡, ㉠, ㉢

유형 03 ④

$\overrightarrow{\text{PQ}}$가 직선 l의 수선이므로
$\overline{\text{AP}}=\overline{\text{BP}}$, $\overline{\text{AQ}}=\overline{\text{BQ}}$, $\overline{\text{AO}}=\overline{\text{BO}}$
$\angle\text{AOP}=\angle\text{BOP}=90°$
따라서 옳은 것은 ㄱ, ㄴ, ㄷ이다.

유형 03 ②

② $\overline{AP}=\overline{BP}$, $\overline{AQ}=\overline{BQ}$

⑤ 직선 위에 한 점을 지나는 수선의 작도는 평각의 이등분선의 작도와 같다.

유형 04 ㉡

㉡ 점 P를 지나는 직선을 그어서 직선 l과의 교점을 A라 한다.

㉣ 점 A를 중심으로 하는 적당한 원을 그려 두 직선 PA, l과의 교점을 각각 B, C라 한다.

㉠ 점 P를 중심으로 반지름의 길이가 $\overline{AB}$인 원을 그려 직선 AP와의 교점을 Q라 한다.

㉢ 점 Q를 중심으로 하고 $\overline{BC}$를 반지름으로 하는 원을 그려 ㉠에서 그린 원과의 교점을 R라 한다.

㉤ 점 P와 점 R를 이으면 직선 PR가 직선 l에 평행한 직선이다.

따라서 작도 순서는 ㉡ → ㉣ → ㉠ → ㉢ → ㉤이므로 첫 번째 과정은 ㉡이다.

유형 04 ④

㉠ 점 P를 지나는 직선을 그어 직선 l과의 교점을 A라 한다.

㉤ 점 A를 중심으로 하는 원을 그려 직선 AP, 직선 l과의 교점을 각각 B, C라 한다.

㉣ 점 P를 중심으로 하고 $\overline{AB}$의 길이를 반지름으로 하는 원을 그려 직선 AP와의 교점을 R라 한다.

㉥, ㉡ 점 R를 중심으로 하고 $\overline{BC}$의 길이를 반지름으로 하는 원을 그려 ㉣에서 그린 원과의 교점을 Q라 한다.

㉢ $\overleftrightarrow{PQ}$를 그리면 $\overleftrightarrow{PQ}$가 직선 l의 평행선이다.

따라서 작도 순서는 ㉠ → ㉤ → ㉣ → ㉥ → ㉡ → ㉢ 이다.

개념 01 ①

$\overline{OA}=\overline{OB}=\overline{PC}=\overline{PD}$이고 $\overline{AB}=\overline{CD}$이므로 나머지 넷과 길이가 다른 것은 ①이다.

개념 02 ③

$\overrightarrow{OP}$가 ∠XOP의 이등분선이므로
$\overline{OA}=\overline{OB}$, $\overline{AP}=\overline{BP}$,

$\angle AOP=\angle BOP=\dfrac{1}{2}\angle AOB$

따라서 옳지 않은 것은 ③이다.

개념 03 ④

$\overleftrightarrow{PQ}$가 직선 l의 수선이므로
$\overline{AO}=\overline{BO}$, $\overline{AP}=\overline{BP}$, $\overline{AQ}=\overline{BQ}$

개념 04 ④

$l /\!/ m$이므로 $\overrightarrow{AC} /\!/ \overrightarrow{PR}$, $\overline{AB}=\overline{AC}=\overline{PQ}=\overline{PR}$,
$\overline{BC}=\overline{QR}$, $\angle BAC=\angle QPR$

생각 O ①, ③

② 두 선분의 길이를 비교할 때에는 컴퍼스를 사용한다.

④ 작도할 때에는 눈금 없는 자와 컴퍼스만을 사용한다.

⑤ 주어진 선분의 길이를 다른 직선 위로 옮길 때에는 컴퍼스를 사용한다.

생각 OO 풀이 참조

❶ 자를 이용하여 선분 AB를 B 방향으로 연장하여 그린다.

❷ 컴퍼스를 이용하여 $\overline{AB}$의 길이를 잰다.

❸ 점 B를 중심으로 하고 $\overline{AB}$의 길이를 반지름으로 하는 원을 그려 $\overline{AB}$와 만나는 점을 B_1이라 한다.

❹ 이와 같은 작도 방법을 4번 반복하여 $\overline{AB}$의 길이와 같은 $\overline{BB_1}$, $\overline{B_1B_2}$, $\overline{B_2B_3}$, $\overline{B_3B_4}$, $\overline{B_4B_5}$를 작도한다.

이때, 점 B_5가 북극성의 위치이다.

따라서 북두칠성의 꼬리부분에서 빛나는 국자모양의
두 별의 길이를 5배 연장한 위치에 북극성이 있다.

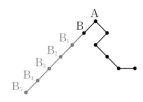

생각 ○○○ 풀이 참조

다음 그림과 같이 해골, 칼, 고인돌의 위치를 점 A, B,
C로 나타내고 $\overline{AB}$의 수직이등분선과 $\overline{BC}$의 수직이등
분선의 교점을 D라 하면
$\overline{DA}=\overline{DB}, \overline{DB}=\overline{DC}$
$\therefore \overline{DA}=\overline{DB}=\overline{DC}$
따라서 보물이 묻힌 지점은 점 D이다.

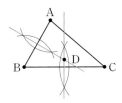

02 삼각형의 작도

p. 59~p. 63

유형 **05** ④	學 **05** $x>5$
유형 **06** ③	學 **06** ⑺ ∠PAQ(∠QAP) ⑷ c ⑷ b
유형 **07** ③, ④	學 **07** ㄱ, ㄷ
유형 **08** △AOD, △COB	學 **08** ⑺ $\overline{AB}$ ⑷ 정삼각형
꼼 **05** ③ 꼼 **06** ④ 꼼 **07** ② 꼼 **08** ③	
생각 11개	생각 ③
생각 ①, ④	

유형 05 ④

① $3+3>4$ ② $4+5>6$
③ $5+6>10$ ④ $6+6=12$
⑤ $7+7>7$

따라서 삼각형을 만들 수 없는 것은 ④이다.

學 05 $x>5$

$x<3x+1$, $3x-4<3x+1$이므로 가장 긴 변의 길이
는 $3x+1$이다.
따라서 $x+3x-4>3x+1$이어야 하므로 $x>5$

유형 06 ③

한 변과 그 양 끝각이 주어졌을 때는 주어진 선분을
옮긴 후 두 각을 작도하거나 한 각을 작도한 후 선분
을 작도한다.
따라서 작도 순서로 옳지 않은 것은 ③이다.

學 06 ⑺ ∠PAQ(∠QAP) ⑷ c ⑷ b

유형 07 ③, ④

① 세 각의 크기가 같은 삼각형은 무수히 많다.
② ∠C는 $\overline{AB}$와 $\overline{CA}$의 끼인 각이 아니므로 삼각형이
 하나로 결정되지 않는다.
⑤ $3+4=7$이므로 삼각형이 만들어지지 않는다.
따라서 삼각형이 하나로 결정되는 것은 ③, ④이다.

[유형 07] ㄱ, ㄷ

ㄱ. $\angle C = 180° - (40° + 70°) = 70°$, 즉 한 변의 길이 와 그 양 끝각의 크기가 주어졌으므로 $\triangle ABC$는 하나로 결정된다.

ㄴ. $\angle A + \angle C = 180°$이므로 삼각형이 만들어지지 않 는다.

ㄷ. 두 변의 길이와 그 끼인 각의 크기가 주어졌으므 로 $\triangle ABC$는 하나로 결정된다.

ㄹ. $\angle A$가 $\overline{AC}$와 $\overline{BC}$의 끼인 각이 아니므로 $\triangle ABC$ 는 하나로 결정되지 않는다.

따라서 필요한 조건은 ㄱ, ㄷ이다.

[유형 08] $\triangle AOD$, $\triangle COB$

$\overline{OA} = \overline{OB} = \overline{OC} = \overline{OD} = \overline{AD} = \overline{CB}$이고

$\angle AOD = \angle COB = 60°$이므로 정삼각형은 $\triangle AOD$, $\triangle COB$이다.

[유형 08] ⑺ $\overline{AB}$ ⑷ **정삼각형**

[꼭 05] ③

$4+5 > 7$, $4+5=9$, $4+7 > 9$, $5+7 > 9$이므로 삼각 형을 만들 수 있는 변의 순서쌍은

$(4\,cm, 5\,cm, 7\,cm)$, $(4\,cm, 7\,cm, 9\,cm)$,

$(5\,cm, 7\,cm, 9\,cm)$

따라서 만들 수 있는 삼각형의 개수는 3개이다.

[꼭 06] ④

두 변의 길이와 그 끼인 각의 크기가 주어졌을 때 삼 각형의 작도는 다음과 같은 순서로 한다.

(i) 한 변의 길이 옮기기 → 끼인 각의 크기 옮기기
　　 → 다른 한 변의 길이 옮기기

(ii) 끼인 각의 크기 옮기기 → 한 변의 길이 옮기기
　　 → 다른 한 변의 길이 옮기기

따라서 $\triangle ABC$를 작도하는 순서로 옳지 않은 것은 ④ 이다.

[꼭 07] ②

ㄱ. 두 변의 길이와 그 끼인 각의 크기가 주어졌으므 로 삼각형이 하나로 결정된다.

ㄴ. 세 각의 크기가 같은 삼각형은 무수히 많다.

ㄷ. 한 변의 길이와 양 끝각의 크기가 주어졌으므로 삼각형이 하나로 결정된다.

ㄹ. $\angle B$, $\angle C$의 크기를 알면 $\angle A$의 크기도 알 수 있 다. 따라서 한 변의 길이와 양 끝각의 크기가 주어 졌을 때와 같으므로 삼각형이 하나로 결정된다.

따라서 삼각형이 하나로 결정되지 않는 것은 ㄴ이다.

[꼭 08] ③

①, ②, ④ $\triangle AOD$, $\triangle COB$는 모두 정삼각형이므로
　 $\overline{OA} = \overline{OB} = \overline{OC} = \overline{OD} = \overline{AD} = \overline{CB}$
　 $\angle AOD = \angle BOC = 60°$

⑤ $\overrightarrow{OC}$, $\overrightarrow{OD}$가 $\angle XOY$의 삼등분선이므로
　 $\angle AOC = \angle COD = \angle DOB = 30°$

[생각 ○] 11개

(i) 가장 긴 변의 길이가 $13\,cm$일 때
　 $6 + x > 13$ 　 $\therefore 7 < x \leq 13$
　 가장 긴 변의 길이가 $x\,cm$일 때
　 $6 + 13 > x$ 　 $\therefore 13 \leq x < 19$

(i), (ii)에서 $7 < x < 19$이므로 x의 값이 될 수 있는 자 연수는 8, 9, 10, 11, 12, 13, 14, 15, 16, 17, 18의 11개이다.

[생각 ○○] ③

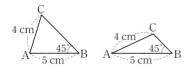

위의 그림과 같이 $\angle B = 45°$, $\overline{AB} = 5\,cm$, $\overline{CA} = 4\,cm$인 두 개의 삼각형을 그릴 수 있다.

[생각 ○○○] ①, ④

① 정삼각형의 작도, 각의 이등분선의 작도
　 $60° \rightarrow 30° \rightarrow 15° \rightarrow \boxed{7.5°} \rightarrow \cdots$

④ 작도 가능한 각끼리 더하거나 뺀 각
　 $60° + 60° = 120°$, $120° - 7.5° = \boxed{112.5°}$

따라서 작도할 수 있는 각은 ①, ④이다.

03 삼각형의 합동조건

p. 65 ~ p. 69

유형 09 ㈎ 대응한다 ㈏ 대응점 ㈐ 대응변 ㈑ 대응각

학 09 ③

유형 10 ④　　**학 10** ③

유형 11 ②, ⑤　　**학 11** 90°

유형 12 ㄱ과 ㄷ(ASA 합동), ㄴ과 ㅂ(SSS 합동), ㄹ과 ㅁ(SAS 합동)

학 12 ④

집 09 ②　**집 10** ④　**집 11** ③　**집 12** ⑤

생각 ∠E=75°, $\overline{FG}$=9 cm　　**생각** ④

생각 ③, ④

유형 09 ㈎ 대응한다 ㈏ 대응점 ㈐ 대응변
㈑ 대응각

학 09 ③

ㄴ. 다음 그림과 같이 △ABC와 △DEF는 넓이가 6 cm²로 서로 같지만 합동이 아니다.

 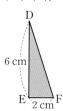

따라서 옳은 것은 ㄱ, ㄷ이다.

유형 10 ④

학 10 ③

ㄴ.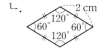

ㅁ.

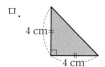

따라서 두 도형이 합동인 것은 ㄱ, ㄷ, ㄹ이다.

유형 11 ②, ⑤

두 도형이 합동이면 대응하는 변의 길이와 대응하는 각의 크기가 각각 같다.
따라서 △ABC≡△DEF이므로
$\overline{AB}=\overline{DE}$, $\overline{AC}=\overline{DF}$, $\overline{BC}=\overline{EF}$
∠A=∠D, ∠B=∠E, ∠C=∠F

학 11 90°

∠ADB=∠ADC이고
∠ADB+∠ADC=180°이므로
∠ADC=90°
∴ ∠x+∠y=180°−∠ADC=90°

유형 12 ㄱ과 ㄷ(ASA 합동), ㄴ과 ㅂ(SSS 합동), ㄹ과 ㅁ(SAS 합동)

(i) ㄷ에서 나머지 한 각의 크기는
180°−(80°+25°)=75°
이므로 이 삼각형은 한 변의 길이가 8이고, 그 양 끝각의 크기가 각각 75°, 25°인 삼각형이다.
따라서 ㄱ과 ㄷ은 대응하는 한 변의 길이가 같고, 그 양 끝각의 크기가 각각 같으므로 합동이다.
(ASA 합동)

(ii) ㄴ과 ㅂ은 대응하는 세 변의 길이가 각각 같으므로 합동이다.(SSS 합동)

(iii) ㄹ과 ㅁ은 대응하는 두 변의 길이가 각각 같고, 그 끼인 각의 크기가 같으므로 합동이다.(SAS 합동)

학 12 ④

④ 나머지 한 내각의 크기는
180°−(90°+35°)=55°

따라서 한 변의 길이가 3이고 그 양 끝각의 크기가 각각 90°, 55°로 같으므로 주어진 삼각형 ABC와 합동이다. (ASA합동)

꿀 09 ②

ㄱ. 모양과 크기가 똑같아 완전히 포갤 수 있는 두 도형을 합동이라 한다.
ㄷ. 두 도형 P와 Q가 합동일 때, 기호로 P≡Q와 같이 나타낸다.
따라서 옳은 것은 ㄴ이다.

꿀 10 ④

위의 두 삼각형은 세 내각의 크기는 같지만 변의 길이가 서로 다르므로 합동이 아니다.

꿀 11 ③

$\overline{DF}$의 대응변은 $\overline{AC}$이므로
$\overline{DF}=\overline{AC}=8\,\mathrm{cm}$ ∴ $x=8$
또, ∠D의 대응각은 ∠A이므로
$∠D=∠A=180°-(90°+30°)=60°$
∴ $y=60$
∴ $x+y=68$

꿀 12 ⑤

ㄱ. 대응하는 세 변의 길이가 각각 같으므로 합동이다. (SSS 합동)
ㄴ. 대응하는 두 변의 길이가 각각 같고, 그 끼인 각의 크기가 같으므로 합동이다. (SAS 합동)
ㄷ. 대응하는 한 변의 길이가 같고, 그 양 끝각의 크기가 각각 같으므로 합동이다. (ASA 합동)
따라서 합동이 될 수 있는 것은 ㄱ, ㄴ, ㄷ이다.

생각 ○ ∠E=75°, $\overline{FG}=9\,\mathrm{cm}$

∠C의 대응각은 ∠G이므로 $∠C=∠G=70°$
∠E의 대응각은 ∠A이므로
$∠E=∠A=360°-(125°+70°+90°)=75°$
또, $\overline{FG}$의 대응변은 $\overline{BC}$이므로 $\overline{FG}=\overline{BC}=9\,\mathrm{cm}$

생각 ○○ ④

모양은 같지만 크기가 다른 여러 개의 직각삼각형은 세 내각의 크기가 모두 같으므로 세 각의 크기가 주어지면 삼각형은 하나로 결정되지 않음을 알 수 있다.

생각 ○○○ ③, ④

△ABC와 △DEF에서 $\overline{AC}=\overline{DF}$, ∠A=∠D이므로
△ABC≡△DEF이기 위해 필요한 조건은
$\overline{AB}=\overline{DE}$ 또는 ∠C=∠F 또는 ∠B=∠E이다.

04 삼각형의 합동조건의 응용
p. 71 ~ p. 75

유형 13 ㈎ ∠COD ㈏ 맞꼭지각 ㈐ SAS

학 13 △DCO, ASA 합동

유형 14 ㈎ $\overline{BC}$ ㈏ ∠BCE ㈐ SAS

학 14 ⑤

유형 15 △ADF와 △DCE, SAS 합동

학 15 15 cm

유형 16 ㈎ $\overline{PC}$ ㈏ $\overline{PD}$ ㈐ $\overline{CD}$ ㈑ SSS

학 16 ㈎ ∠BOP ㈏ ∠BPO ㈐ ASA

쪽 13 △BOD(또는 △DOB), SAS 합동

쪽 14 △CBD, SAS 합동

쪽 15 ③

쪽 16 풀이 참조

생각 7 cm

생각 45°

생각 90°

유형 13 ㈎ ∠COD ㈏ **맞꼭지각** ㈐ SAS
△OAB와 △OCD에서
$\overline{OA}=\overline{OC}$, $\overline{OB}=\overline{OD}$
∠AOB= $\boxed{∠COD}$ ($\boxed{맞꼭지각}$)
∴ △OAB≡△OCD($\boxed{SAS}$ 합동)

학 13 △DCO, ASA 합동
△ABO와 △DCO에서
∠OAB=∠ODC(엇각)
∠AOB=∠DOC(맞꼭지각)
$\overline{AO}=\overline{DO}$
∴ △ABO≡△DCO(ASA 합동)

유형 14 ㈎ $\overline{BC}$ ㈏ ∠BCE ㈐ SAS
△ABD와 △BCE에서 △ABC가 정삼각형이므로
$\overline{AB}=\boxed{\overline{BC}}$, ∠ABD= $\boxed{∠BCE}$ =60°
$\overline{BD}=\overline{CE}$
∴ △ABD≡△BCE($\boxed{SAS}$ 합동)

학 14 ⑤
①, ③, ⑤ △ABD와 △BCE에서
$\overline{AB}=\overline{BC}$(∵ △ABC는 정삼각형)
∠ABD=∠BCE=60°(∵ △ABC는 정삼각형)
$\overline{BD}=\overline{CE}$
∴ △ABD≡△BCE(SAS 합동)
②, ④ △ABD≡△BCE이므로
$\overline{AD}=\overline{BE}$, ∠BAD=∠CBE

유형 15 △ADF와 △DCE, SAS 합동
△ADF와 △DCE에서
∠ADF=∠DCE=90°(∵ □ABCD는 정사각형)
$\overline{AD}=\overline{DC}$(∵ □ABCD는 정사각형)
$\overline{DF}=\overline{CE}$
∴ △ADF≡△DCE(SAS 합동)

학 15 15 cm
△GBC와 △EDC에서
$\overline{BC}=\overline{DC}$(∵ □ABCD는 정사각형)
$\overline{GC}=\overline{EC}$(∵ □CEFG는 정사각형)
∠BCG=∠DCE=90°
따라서 △GBC≡△EDC(SAS 합동)이므로
$\overline{BG}=\overline{DE}$=15 cm

유형 16 ㈎ $\overline{PC}$ ㈏ $\overline{PD}$ ㈐ $\overline{CD}$ ㈑ SSS
△AOB와 △CPD에서
$\overline{OA}=\boxed{\overline{PC}}$, $\overline{OB}=\boxed{\overline{PD}}$, $\overline{AB}=\boxed{\overline{CD}}$
∴ △AOB≡△CPD($\boxed{SSS}$ 합동)

학 16 ㈎ ∠BOP ㈏ ∠BPO ㈐ ASA
△AOP와 △BOP에서 $\overline{OP}$는 공통,
∠AOP= $\boxed{∠BOP}$,
∠APO=90°−∠AOP
    =90°−∠BOP= $\boxed{∠BPO}$
∴ △AOP≡△BOP($\boxed{ASA}$ 합동)

필 13 △BOD(또는 △DOB), SAS 합동

△AOC와 △BOD(또는 △DOB)에서

$\overline{OA}=\overline{OB}=\overline{OC}=\overline{OD}$(원 O의 반지름의 길이)

∠AOC=∠BOD(맞꼭지각)

∴ △AOC≡△BOD(또는 △DOB)(SAS 합동)

필 14 △CBD, SAS 합동

△ABE와 △CBD에서

$\overline{AB}=\overline{CB}$(∵ △ABC는 정삼각형)

$\overline{BE}=\overline{BD}$(∵ △BDE는 정삼각형)

∠ABE=60°−∠EBC=∠CBD

∴ △ABE≡△CBD(SAS 합동)

필 15 ③

$\overline{AD}/\!/\overline{BF}$이므로

∠DAF=∠BFA=26°(엇각)

또, △ADE와 △CDE에서

$\overline{DE}$는 공통

$\overline{AD}=\overline{CD}$(∵ □ABCD는 정사각형)

$\angle ADE=\angle CDE=\dfrac{1}{2}\angle ADC=45°$

∴ △ADE≡△CDE(SAS 합동)

∴ ∠BCE=90°−∠DCE

=90°−∠DAF

=90°−26°=64°

필 16 풀이 참조

△PAM과 △PBM에서

$\overline{PM}$은 공통

점 M은 $\overline{AB}$의 중점이므로 $\overline{AM}=\overline{BM}$

$\overline{AB}\perp l$이므로 ∠PMA=∠PMB=90°

∴ △PAM≡△PBM(SAS 합동)

이때, $\overline{PA}$에 대응하는 변은 $\overline{PB}$이므로 $\overline{PA}=\overline{PB}$이다.

생각 ○ 7 cm

△ABD와 △CBE에서 $\overline{AB}=\overline{CB}$, $\overline{BD}=\overline{BE}$

∠ABD=60°−∠DBC=∠CBE

∴ △ABD≡△CBE(SAS 합동)

따라서 $\overline{CE}=\overline{AD}=4\,cm$이고

$\overline{CD}=\overline{AC}-\overline{AD}=3\,cm$이므로

$\overline{CD}+\overline{CE}=3+4=7(cm)$

생각 ○○ 45°

□ABCD의 둘레의 길이가 △BGF의 둘레의 길이의 2배이므로

$\overline{FG}+\overline{FB}+\overline{BG}=\overline{AB}+\overline{BC}$

∴ $\overline{FG}=\overline{AF}+\overline{GC}$ ······㉠

△EFD와 △GFD에서 $\overline{FD}$는 공통, $\overline{ED}=\overline{GD}$,

$\overline{EF}=\overline{EA}+\overline{AF}=\overline{GC}+\overline{AF}=\overline{FG}$(∵ ㉠)

∴ △EFD≡△GFD(SSS 합동)

따라서

∠EDG=∠EDA+∠ADG

=∠GDC+∠ADG=90°

이므로

$\angle FDG=\angle EDF=\dfrac{1}{2}\angle EDG=\dfrac{1}{2}\times 90°=45°$

생각 ○○○ 90°

△DAE와 △DCG에서 $\overline{DA}=\overline{DC}$, $\overline{DE}=\overline{DG}$

∠ADE=90°+∠CDE=∠CDG

∴ △DAE≡△DCG(SAS 합동)

∠CIE=180°−∠CIH=∠HCI+∠CHI

이때, △DAE≡△DCG이므로 ∠HCI=∠HAD

∠CHI=∠AHD(맞꼭지각)

∴ ∠CIE=∠HCI+∠CHI

=∠HAD+∠AHD

=180°−∠ADH

=180°−90°=90°

단원 종합 문제
p. 76~p. 81

01 ㄴ, ㄹ, ㅁ	**02** 6 cm	**03** ①	**04** ④
05 ②	**06** ③	**07** 7개	**08** ④
09 ∠F	**10** ②	**11** △COB, SAS 합동	
12 60°	**13** ①	**14** 225°	**15** 55°
16 15°			
17 풀이 참조		**18** 5	
19 16 cm²		**20** 65°	

01 ㄴ, ㄹ, ㅁ

작도할 때에는 눈금 없는 자는 두 점을 연결하는 선분을 그리거나 주어진 선분을 연결하는 데 사용한다.
또, 컴퍼스는 원을 그리거나 주어진 선분의 길이를 다른 직선 위에 옮길 때 사용한다.

02 6 cm

주어진 과정은 다음 그림과 같이 선분 AB의 수직이등분선인 직선 PQ를 작도하는 것이다.

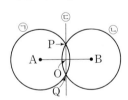

$$\therefore \overline{OB} = \frac{1}{2} \times \overline{AB} = \frac{1}{2} \times 12 = 6(cm)$$

03 ①

$\overline{AB}$와 $\overline{BC}$로부터 같은 거리에 있는 점은 ∠ABC의 이등분선 위의 점이고, $\overline{BC}$와 $\overline{CD}$로부터 같은 거리에 있는 점은 ∠BCD의 이등분선 위의 점이다. 따라서 $\overline{AB}$, $\overline{BC}$, $\overline{CD}$에 이르는 거리가 같은 점 P는 ∠ABC의 이등분선과 ∠BCD의 이등분선의 교점이다.

04 ④

$\overline{AB} = \overline{AC} = \overline{PQ} = \overline{PR}$, $\overline{BC} = \overline{QR}$

05 ②

①, ③, ⑤ 선분의 수직이등분선을 작도하면 90°를 얻는다. 또한, 90°의 삼등분선을 작도하면 30°를 얻고, 30°의 이등분선을 작도하면 15°를 얻을 수 있다.
∴ 30°+30°=60°, 90°+15°=105°
④ 90°의 이등분선을 작도하면 45°를 얻고, 15°의 이등분선을 작도하면 7.5°를 얻을 수 있다.
∴ 45°−7.5°=37.5°

06 ③

③ 컴퍼스를 사용하여 길이가 같은 선분을 작도할 수 있다.

07 7개

(i) 가장 긴 변의 길이가 11 cm일 때 ($x < 11$)
  $4+x > 11$ ∴ $7 < x < 11$
(ii) 가장 긴 변의 길이가 11 cm가 아닐 때 ($x \geq 11$)
  $4+11 > x$ ∴ $11 \leq x < 15$
(i), (ii)에서 $7 < x < 15$이므로 x의 값이 될 수 있는 자연수는 8, 9, 10, 11, 12, 13, 14의 7개이다.

08 ④

① 한 변의 길이와 양 끝각의 크기가 주어졌으므로 삼각형이 하나로 결정된다.
②, ③ 두 변의 길이와 그 끼인 각의 크기가 주어졌으므로 삼각형이 하나로 결정된다.
④ ∠B는 $\overline{AB}$와 $\overline{CA}$의 끼인 각이 아니므로 삼각형이 하나로 결정되지 않는다.
⑤ 세 변의 길이가 주어졌으므로 삼각형이 하나로 결정된다.

09 ∠F

$\overline{AB}$의 대각은 ∠C이므로 ∠C의 대응각은 ∠F이다.

10 ②

∠B의 대응각은 ∠E이므로 ∠B=∠E=55°

∠C=180°−(75°+55°)=50°   ∴ $x=50$

$\overline{EF}$의 대응변은 $\overline{BC}$이므로 $y=7$

∴ $x+y=50+7=57$

11 △COB, SAS 합동

△AOD와 △COB에서

$\overline{OA}=\overline{OC}$, $\overline{OD}=\overline{OC}+\overline{CD}=\overline{OA}+\overline{AB}=\overline{OB}$

∠AOD=∠COB(공통인 각)

∴ △AOD≡△COB(SAS 합동)

12 60°

△ADF와 △BED와 △CFE에서

$\overline{AD}=\overline{BE}=\overline{CF}$

$\overline{AF}=\overline{BD}=\overline{CE}$

∠A=∠B=∠C=60°

∴ △ADF≡△BED≡△CFE(SAS 합동)

따라서 $\overline{DE}=\overline{EF}=\overline{FD}$, 즉 △DEF는 정삼각형이므로

∠DEF=60°

13 ①

△CFD와 △CEB에서

$\overline{CF}=\overline{CE}$, $\overline{CD}=\overline{CB}$,

∠DCF=90°−∠ECD=∠BCE

∴ △CFD≡△CEB(SAS 합동)

∴ △CFD=△CEB

$\quad = \dfrac{1}{2} \times □ABCD$

$\quad = \dfrac{1}{2} \times 12 \times 12 = 72 \, (\text{cm}^2)$

14 225°

$\overline{AB}=\overline{BC}=\overline{EB}$이므로 △ABE는 이등변삼각형이다.

∠ABE=90°−∠EBC=90°−60°=30°

∴ $\angle a = \dfrac{1}{2} \times (180° - \angle ABE)$

$\qquad = \dfrac{1}{2} \times (180° - 30°) = 75°$

한편, △ABE와 △ECD에서

$\overline{AB}=\overline{EB}=\overline{EC}=\overline{DC}$,

∠ABE=∠ECD=90°−60°=30°

∴ △ABE≡△ECD(SAS 합동)

따라서 △AED는 $\overline{EA}=\overline{ED}$인 이등변삼각형이므로

∠EAD=∠EDA=90°−∠a=15°

∴ $\angle b=180°-(15°+15°)=150°$

∴ $\angle a + \angle b = 75° + 150° = 225°$

15 55°

△DFC에서 ∠FDC=180°−(35°+90°)=55°

△CBE와 △CDE에서

$\overline{CB}=\overline{CD}$, $\overline{CE}$는 공통, ∠ECB=∠ECD=45°

따라서 △CBE≡△CDE(SAS 합동)이므로

∠EBC=∠EDC=55°

16 15°

∠BAD=180°−(60°+45°)

$\qquad = 75°$(∵ △ABC는 정삼각형)

이때, △BAE와 △BCE에서

$\overline{BE}$는 공통, $\overline{AB}=\overline{BC}$

∠ABE=∠CBE=30°

∴ △BAE≡△BCE(SAS 합동)

∴ ∠ACE=∠BCE−60°

$\qquad = ∠BAE−60°$

$\qquad = 75°−60°=15°$

17 풀이 참조

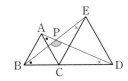

(1) △ACD와 △BCE에서
$\overline{AC}=\overline{BC}$, $\overline{CD}=\overline{CE}$
(∵ △ABC, △CDE는 정삼각형)
∠ACD=60°+∠ACE=∠BCE
∴ △ACD≡△BCE(SAS 합동) ··· [3점]

(2) ∠DAC=∠EBC, ∠ADC=∠BEC이고
△ACD에서 ∠ACD=120°이므로
∠DAC+∠ADC=60°
∴ ∠PBD+∠PDB=60°
△PBD에서 ∠BPD=180°−60°=120° ··· [3점]

18 5

(i) 다음 그림과 같이 2개의 삼각형을 작도할 수 있다.
∴ $a=2$

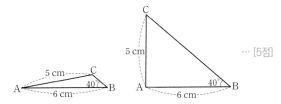

··· [5점]

(ii) 또, 삼각형의 나머지 한 각의 크기는
180°−(30°+60°)=90°이므로 한 변의 길이가
7 cm이고, 그 양 끝각의 크기가 30°와 60°, 30°와
90°, 60°와 90°인 삼각형을 작도할 수 있다.
∴ $b=3$ ··· [4점]
∴ $a+b=2+3=5$ ··· [1점]

19 $16\,\mathrm{cm}^2$

△EBF와 △ECJ에서
$\overline{EB}=\overline{EC}$, ∠EBF=∠ECJ,
∠BEF=90°−∠FEC=∠CEJ
∴ △EBF≡△ECJ(ASA 합동) ··· [5점]

□EFCJ=△EFC+△ECJ
=△EFC+△EBF
=△EBC
=$\frac{1}{4}$□ABCD=$\frac{1}{4}\times8\times8$
=16(cm²) ··· [5점]

20 65°

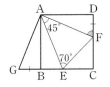

$\overline{BC}$의 연장선 위에 $\overline{DF}=\overline{BG}$인 점 G를 잡자.
△AGB와 △AFD에서 $\overline{AB}=\overline{AD}$
$\overline{GB}=\overline{FD}$,
∠ABG=∠ADF=90°
∴ △AGB≡△AFD(SAS 합동) ·····㉠ ··· [4점]
∠GAE=∠GAB+∠BAE
=∠FAD+∠BAE
=90°−∠EAF=45°
이므로 △AGE와 △AFE에서
$\overline{AG}=\overline{AF}$(∵㉠), ∠GAE=∠FAE=45°,
$\overline{AE}$는 공통
∴ △AGE≡△AFE(SAS 합동) ··· [4점]
∴ ∠AFD=∠AGB=∠AFE
=180°−(70°+45°)=65° ··· [2점]

Ⅲ 다각형

01 삼각형의 내각과 외각

p. 87~p. 91

유형 01 ②, ⑤   **학 01** ③

유형 02 정팔각형   **학 02** ③

유형 03 ∠DAB, 엇각, ∠DAB, 180°   **학 03** ③

유형 04 33°   **학 04** 22.5°

깸 01 ②   **깸 02** ①, ③   **깸 03** 108°   **깸 04** ③

생각 + ②   **생각 +** ④

생각 ●● 180°

유형 01 ②, ⑤

① 삼각형은 대각선을 그을 수 없다.

③ 세 개 이상의 선분으로 둘러싸인 평면도형을 다각형이라 한다.

④ 다각형의 한 꼭짓점에서 내각과 외각의 크기의 합은 180°이다.

학 01 ③

①, ⑤ 곡선으로 둘러싸인 부분이 있으면 다각형이 아니다.

② 선분으로 둘러싸이지 않은 부분이 있으면 다각형이 아니다.

④ 평면도형이 아니면 다각형이 아니다.

유형 02 정팔각형

모든 변의 길이가 같고, 모든 내각의 크기가 같은 8개의 선분으로 둘러싸인 도형은 정팔각형이다.

학 02 ③

ㄷ. 모든 변의 길이가 같고, 모든 내각의 크기가 같은 다각형이 정다각형이다.

따라서 옳은 것은 ㄱ, ㄴ이다.

유형 03 ∠DAB, 엇각, ∠DAB, 180°

학 03 ③

∠B=3∠A, ∠C=2∠A−12°이므로

∠A+∠B+∠C=180°에서

∠A+3∠A+(2∠A−12°)=180°

6∠A=192°

∴ ∠A=32°

유형 04 33°

(2∠x+16°)+55°=4∠x+5°이므로

2∠x+71°=4∠x+5°

2∠x=66°

∴ ∠x=33°

학 04 22.5°

△ABC에서

$\overline{AB}=\overline{AC}$이므로

∠ACB=∠x

∴ ∠CAD=2∠x

$\overline{AC}=\overline{DC}$이므로

∠CDA=∠CAD=2∠x

또, △DBC에서 ∠DCE=∠x+2∠x=3∠x

$\overline{DC}=\overline{DE}$이므로 ∠DEC=∠DCE=3∠x

따라서 △DBE에서

∠FDE=∠x+3∠x=4∠x=90°

∴ ∠x=22.5°

깸 01 ②

ㄱ. 곡선으로 둘러싸인 부분이 있으면 다각형이 아니다.

ㄹ. 각은 두 개의 선분으로 이루어져 있다.

ㄷ, ㅁ. 평면도형이 아니면 다각형이 아니다.

따라서 다각형은 ㄴ, ㅂ의 2개이다.

꿀 02 ①, ③

② 네 변의 길이가 같고 네 내각의 크기가 같은 사각형이 정사각형이다.

④ 모든 변의 길이가 같고 모든 내각의 크기가 같은 다각형이 정다각형이다.

⑤ 꼭짓점의 개수가 6개인 다각형을 육각형이라 한다.

꿀 03 108°

삼각형의 세 내각의 크기의 합이 180°이므로

$$180° \times \frac{9}{1+5+9} = 180° \times \frac{3}{5} = 108°$$

꿀 04 ③

$\angle y = 30° + 35° = 65°$

$\angle x + 20° = 65°$이므로

$\angle x = 45°$

$\therefore \angle x + \angle y = 45° + 65° = 110°$

생각 ○ ②

△ABC에서

$\angle ABC + \angle ACB = 180° - 70° = 110°$

이때, △IBC에서

$$\angle x = 180° - (\angle IBC + \angle ICB)$$
$$= 180° - \frac{1}{2} \times (\angle ABC + \angle ACB)$$
$$= 180° - \frac{1}{2} \times 110°$$
$$= 180° - 55° = 125°$$

생각 ○○ ④

△DBC에서 $\angle ADF = 50° + \angle b$,

△ADF에서 $\angle a + \angle ADF = 125°$이므로

$\angle a + (50° + \angle b) = 125°$

$\therefore \angle a + \angle b = 75°$

생각 ○○○ 180°

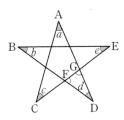

△ACG에서

$\angle CGD = \angle a + \angle c$

△BFE에서

$\angle EFD = \angle b + \angle e$

따라서 △FDG에서

$$(\angle a + \angle c) + (\angle b + \angle e) + \angle d$$
$$= \angle a + \angle b + \angle c + \angle d + \angle e$$
$$= 180°$$

정답 및 해설

02 다각형의 내각과 외각

p. 93 ~ p. 97

유형 **05** ③	學 **05** ④		
유형 **06** ④	學 **06** (가) $180°×n$ (나) $n-2$ (다) $360°$		
유형 **07** ⑤	學 **07** ①	유형 **08** $305°$	學 **08** ③
꼼 **05** ⑤	꼼 **06** 8개	꼼 **07** $95°$	꼼 **08** ④
생각 (가) 2 (나) 3 (다) 3 (라) $540°$		생각 8번	
생각 $540°$			

유형 05 ③

구하는 다각형을 n각형이라 하면

(내각의 크기의 합)$=180°×(n-2)=900°$

$n-2=5$ ∴ $n=7$

따라서 구하는 다각형은 칠각형이다.

學 05 ④

육각형의 내각의 크기의 합은

$180°×(6-2)=720°$

이므로

$(3∠x-60°)+110°+(∠x+55°)+125°$
$+(2∠x-5°)+105°=720°$

$6∠x+330°=720°,\ 6∠x=390°$

∴ $∠x=65°$

유형 06 ④

구하는 다각형을 n각형이라 하면

(내각과 외각의 크기의 합)$=180°×n=1620°$

∴ $n=9$

즉, 구하는 다각형은 구각형이다.

따라서 구각형의 꼭짓점의 개수는 9개이다.

學 06 (가) $180°×n$ (나) $n-2$ (다) $360°$

(내각의 크기의 합)$+$(외각의 크기의 합)$=\boxed{180°×n}$

이므로

(외각의 크기의 합)$=\boxed{180°×n}-180°×(\boxed{n-2})$
$=\boxed{360°}$

유형 07 ⑤

다각형의 외각의 크기의 합은 $360°$이므로

$60°+∠x+∠x+20°+85°+30°+∠x=360°$

$3∠x+195°=360°,\ 3∠x=165°$

∴ $∠x=55°$

學 07 ①

사각형의 외각의 크기의 합은 $360°$이므로

$75°+55°+(180°-∠x)+120°=360°$

∴ $∠x=70°$

유형 08 $305°$

오목오각형의 내각의 크기의 합은

$180°×(5-2)=540°$

$90°+70°+35°+40°+∠x=540°$이므로

$∠x+235°=540°$

∴ $∠x=305°$

學 08 ③

선분 BD를 그으면 △ABD에서

$∠CBD+∠CDB$
$=180°-(55°+30°+35°)$
$=60°$

따라서 △CBD에서

$∠x=180°-(∠CBD+∠CDB)$
$=180°-60°=120°$

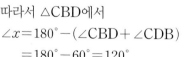

꼼 05 ⑤

구하는 다각형을 n각형이라 하면

$180°×(n-2)=1980°$ ∴ $n=13$

즉, 구하는 다각형은 십삼각형이다.

따라서 변의 개수는 13개이다.

짧 06 8개

구하는 다각형을 n각형이라 하면

$180° \times n = 1440°$ $\qquad \therefore n = 8$

즉, 구하는 다각형은 팔각형이다.

따라서 내각의 개수는 8개이다.

짧 07 95°

n각형의 외각의 크기의 합은 360°이므로

$80° + 40° + 85° + 60° + \angle x = 360°$

$\therefore \angle x = 360° - (80° + 40° + 85° + 60°) = 95°$

짧 08 ④

선분 BD를 그으면 △CBD에서

$\angle CBD + \angle CDB = 180° - 110° = 70°$

따라서 △ABD에서

$\angle x = 180° - (25° + 27° + \angle CBD + \angle CDB)$

$\qquad = 180° - (25° + 27° + 70°) = 58°$

생각 ○ (가) 2 (나) 3 (다) 3 (라) 540°

오각형의 한 꼭짓점에서 이웃하지 않은 꼭짓점과 연결한 [2](개)의 선분에 의해 오각형은 [3](개)의 삼각형으로 나누어진다.

따라서 오각형의 내각의 크기의 합은

$180° \times$ [3] = [540°]이다.

생각 ○○ 8번

다각형의 외각의 크기의 합은 360°이므로

$10° + 20° + 30° + 40° + 50° + 60° + 70° + 80° = 360°$

따라서 달팽이는 오른쪽 방향으로 8번 회전하면 처음과 같은 방향으로 움직인다.

생각 ○○○ 540°

삼각형 7개의 내각의 크기의 총합에서

(칠각형의 외각의 크기의 합)×2를 빼면 된다.

$\therefore \angle a + \angle b + \angle c + \angle d + \angle e + \angle f + \angle g$

$\qquad = 180° \times 7 - 360° \times 2 = 540°$

---

03 다각형의 대각선 p.99~p.103

유형 **09** 120°	學 **09** ③	유형 **10** 36°	學 **10** 150°
유형 **11** 정십오각형	學 **11** 6번		
유형 **12** ①	學 **12** ①		
짧 **09** ⑤	짧 **10** ②		
짧 **11** ③	짧 **12** 정십이각형		
생각 ①	생각 9개		
생각 풀이 참조			

유형 09 120°

(정육각형의 한 내각의 크기)

$= \dfrac{180° \times (6-2)}{6} = 120°$

△EFD는 이등변삼각형이므로

$\angle EDF = \dfrac{1}{2} \times (180° - 120°) = 30°$

같은 방법으로 하면 $\angle DEC = 30°$

$\therefore \angle x = \angle FGD$(맞꼭지각)

$\qquad = 180° - 60° = 120°$

學 09 ③

정오각형의 한 내각의 크기는 108°이므로

△ABE에서

$\angle x = \dfrac{1}{2} \times (180° - 108°) = 36°$

이때, $\angle CBD = 36°$이므로

$\angle FBE = 108° - (36° + 36°) = 36°$

마찬가지로 $\angle CDF = 36°$, $\angle DCF = 36°$

따라서 △CDF에서

$\angle y = 36° + 36° = 72°$

$\therefore \angle x + \angle y = 36° + 72° = 108°$

유형 10) $36°$

(정오각형의 한 외각의 크기)$=\dfrac{360°}{5}=72°$이므로

$\angle OED=\angle ODE=72°$

$\triangle OED$에서 $\angle x+\angle OED+\angle ODE=180°$

$\angle x+72°+72°=180°$ ∴ $\angle x=36°$

學 10) $150°$

정다각형에서

(한 내각의 크기)$+$(한 외각의 크기)$=180°$

이므로

(한 내각의 크기)$=180°\times\dfrac{5}{5+1}=150°$

유형 11) 정십오각형

구하는 다각형을 n각형이라 하면

$n-3=12$ ∴ $n=15$

이때, 구하는 다각형은 모든 변의 길이가 같고, 모든 내각의 크기가 같으므로 정십오각형이다.

學 11) 6번

한 사람이 악수를 하는 횟수는 구각형의 한 꼭짓점에서 그을 수 있는 대각선의 개수와 같으므로

$9-3=6$(번)

유형 12) ①

대각선의 총 개수가 14개인 다각형을 n각형이라 하면

$\dfrac{n(n-3)}{2}=14$에서 $n(n-3)=28=7\times4$

∴ $n=7$

따라서 구하는 다각형은 칠각형이다.

學 12) ①

구하는 다각형을 n각형이라 하면

변의 개수도 n개, 꼭짓점의 개수도 n개이므로

$2n=30$ ∴ $n=15$

즉, 이 다각형은 십오각형이다.

따라서 십오각형의 대각선의 총 개수는

$\dfrac{15\times(15-3)}{2}=90$(개)

習 09) ⑤

정팔각형의 한 내각의 크기는 $135°$이고 $\triangle HAG$는 이등변삼각형이므로

$\angle b=\dfrac{1}{2}\times(180°-135°)=22.5°$

마찬가지로 $\angle AHB=22.5°$, $\angle HAG=22.5°$이므로

$\angle a=\angle AIH(\because$ 맞꼭지각$)$

$\quad\quad=180°-(22.5°+22.5°)=135°$

∴ $\angle a+\angle b=157.5°$

習 10) ②

정다각형에서

(한 내각의 크기)$+$(한 외각의 크기)$=180°$

이므로

(한 외각의 크기)$=180°\times\dfrac{2}{7+2}=40°$

구하는 다각형을 정n각형이라 하면

$\dfrac{360°}{n}=40°$ ∴ $n=9$

따라서 구하는 정다각형은 정구각형이다.

習 11) ③

구하는 다각형을 n각형이라 하면

$n-3=7$ ∴ $n=10$

따라서 구하는 다각형은 십각형이다.

習 12) 정십이각형

조건 ㈎, ㈏에서 이 다각형은 정다각형이다.

조건 ㈐에서 대각선의 총 개수가 54개인 정다각형을 정n각형이라 하면

$\dfrac{n(n-3)}{2}=54$에서 $n(n-3)=108=12\times9$

$\therefore n=12$

따라서 구하는 다각형은 정십이각형이다.

생각 ○ ①

ㄴ. 정n각형에서 $n=3$, 4, 5, …일 때, 한 외각의 크기는 각각 $120°$, $90°$, $72°$, …이므로 정다각형의 변의 개수가 많을수록 한 외각의 크기는 작아진다.

ㄷ. (정삼각형의 한 내각의 크기)

$$=\frac{180°\times(3-2)}{3}=60°$$

(정삼각형의 한 외각의 크기)$=\frac{360°}{3}=120°$

즉, 정삼각형은 한 내각의 크기가 한 외각의 크기보다 더 작다.

따라서 옳은 것은 ㄱ이다.

생각 ○○ 9개

이웃하는 마을들 사이에는 이미 버스 노선으로 연결되어 있으므로 모든 마을들이 서로 직통으로 연결되기 위해 더 필요한 버스 노선의 개수는 육각형의 대각선의 총 개수와 같다.

$$\therefore \frac{6\times(6-3)}{2}=9(개)$$

생각 ○○○ 풀이 참조

한 꼭짓점에 모인 정다각형의 내각의 크기의 합이 $360°$이어야 빈틈없이 바닥을 깔 수 있다.

정삼각형의 한 내각의 크기는 $60°$이므로

$60°\times6=360°$

정사각형의 한 내각의 크기는 $90°$이므로

$90°\times4=360°$

정오각형의 한 내각의 크기는 $108°$이므로 정오각형으로 바닥을 빈틈없이 깔 수 없다.

정육각형의 한 내각의 크기는 $120°$이므로

$120°\times3=360°$

따라서 바닥에 빈틈없이 깔 수 있는 다각형은 정삼각형, 정사각형, 정육각형뿐이다.

01 ⑤	02 ②	03 ②	04 ⑤
05 31°	06 ②	07 45°	08 ⑤
09 ②	10 ②	11 ④	12 정구각형
13 ④	14 ③	15 12개	16 ①
17 풀이 참조		18 52	
19 22개		20 2	

01 ⑤

⑤ 정삼각형에서 한 내각의 크기는 $60°$이고, 한 외각의 크기는 $120°$로 서로 같지 않다.

02 ②

$(4\angle x-5°)+(\angle x+30°)+(2\angle x+15°)=180°$

$7\angle x+40°=180°$, $7\angle x=140°$

$\therefore \angle x=20°$

03 ②

$\angle ACB=180°-115°=65°$이고, 삼각형의 한 외각의 크기는 그와 이웃하지 않는 두 내각의 크기의 합과 같으므로

$\angle x=40°+65°=105°$

04 ⑤

$\triangle ECD$에서 $\angle BEA=\angle b+\angle d$이다.

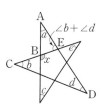

따라서 $\triangle ABE$에서

$\angle x=\angle a+\angle b+\angle d$

05 31°

△ABC에서

$\angle DCE = \dfrac{1}{2} \angle ACE$

$\qquad = \dfrac{1}{2} \times (62° + 2\angle DBC)$

$\qquad = 31° + \angle DBC \qquad \cdots\cdots \ \text{㉠}$

또, △DBC에서

$\angle DCE = \angle x + \angle DBC \qquad \cdots\cdots \ \text{㉡}$

㉠=㉡에서 $\angle x = 31°$

06 ②

$\angle CDE = 180° - 70° = 110°$

이때, 오각형의 내각의 크기의 합은

$180° \times (5-2) = 540°$이므로

$\angle x = 540° - (90° + 115° + 110° + 120°) = 105°$

07 45°

육각형의 외각의 크기의 합은 360°이므로

$60° + \{180° - (3\angle x + 5°)\} + 90° + 50° + 75° + \angle x$

$= 360°$

$60° + 175° - 3\angle x + 90° + 50° + 75° + \angle x = 360°$

$450° - 2\angle x = 360°$

$\therefore \angle x = 45°$

08 ⑤

다음 그림과 같이 보조선을 그으면

(구하는 각의 크기의 합)

$=$ (육각형의 내각의 크기의 합)

$\quad +$ (사각형의 내각의 크기의 합)

$= 720° + 360° = 1080°$

09 ②

(정사각형의 한 내각의 크기)$= 90°$

(정오각형의 한 내각의 크기)$= \dfrac{180° \times (5-2)}{5}$

$\qquad\qquad\qquad\qquad\qquad\quad = 108°$

(정육각형의 한 내각의 크기)$= \dfrac{180° \times (6-2)}{6}$

$\qquad\qquad\qquad\qquad\qquad\quad = 120°$

$\therefore \angle DEK = 360° - (90° + 108° + 120°) = 42°$

이때, △EDK는 $\overline{ED} = \overline{EK}$인 이등변삼각형이므로

$\angle x = \dfrac{1}{2} \times (180° - 42°) = 69°$

10 ②

구하는 정다각형을 정n각형이라 하면

(내각의 크기의 합)$= 180° \times (n-2) = 1440°$

$n - 2 = 8 \qquad \therefore n = 10$

따라서 정십각형의 한 외각의 크기는 $\dfrac{360°}{10} = 36°$

11 ④

한 내각의 크기를 $\angle x$라 하면

외각의 크기는 $\angle x - 100°$이다.

이때, $\angle x + (\angle x - 100°) = 180°$이므로 $\angle x = 140°$

즉, 구하는 정다각형을 정n각형이라 하면 한 내각의

크기는

$\dfrac{180° \times (n-2)}{n} = 140°$이므로

$180°n - 360° = 140°n \qquad \therefore n = 9$

따라서 구하는 정다각형은 정구각형이다.

12 정구각형

다음 그림과 같이 정n각형에 대각선을 그으면 내부에

다른 정n각형이 그려진다.

  ...

즉, $\angle x$는 정n각형의 한 외각의 크기와 같으므로

$\dfrac{360°}{n}=40°$　　$\therefore n=9$

따라서 $\angle x=40°$를 만족하는 정다각형은 정구각형이다.

13 ④

정오각형의 한 내각의 크기는 $108°$이고 점 C, E를 각각 지나면서 직선 l, m에 평행한 직선 p, q를 그으면

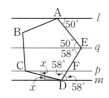

평각의 크기는 $180°$이므로

$\angle x+108°+58°=180°$

$\therefore \angle x=14°$

14 ③

구하는 다각형을 n각형이라 하면

$a=n-3$, $b=n-2$

이때, $a+b=25$이므로

$(n-3)+(n-2)=25$　　$\therefore n=15$

따라서 십오각형의 변의 개수는 15개이다.

15 12개

대각선의 총 개수가 90개인 다각형을 n각형이라 하면

$\dfrac{n(n-3)}{2}=90$에서 $n(n-3)=180=15\times12$

$\therefore n=15$

즉, 구하는 다각형은 십오각형이다.

따라서 십오각형의 한 꼭짓점에서 그을 수 있는 대각선의 개수는

$15-3=12$(개)

16 ①

꼭짓점의 개수가 각각 a개, $2a$개인 정다각형의 한 내각의 크기는 각각

$\dfrac{180°\times(a-2)}{a}$, $\dfrac{180°\times(2a-2)}{2a}$이므로

$\dfrac{180°\times(a-2)}{a}$: $\dfrac{180°\times(2a-2)}{2a}=3:4$

$(a-2):(a-1)=3:4$, $3(a-1)=4(a-2)$

$\therefore a=5$

이때, 변의 개수가 많은 정다각형은 꼭짓점의 개수가 10개이므로 정십각형이다.

따라서 정십각형의 대각선의 총 개수는

$\dfrac{10\times(10-3)}{2}=35$(개)

17 풀이 참조

⑴ 장난감 자동차가 이 과정을 8번 반복했더니 다시 처음 출발점으로 왔으므로 정팔각형 위를 움직이는 것과 같다. ⋯ [3점]

⑵ 정팔각형의 외각의 크기는 모두 같으므로

$\angle x=\dfrac{360°}{8}=45°$　　　⋯ [3점]

18 52

(한 내각의 크기)$=\dfrac{180°\times(n-2)}{n}=144°$이므로

$180°n-360°=144°n$, $36°n=360°$

$\therefore n=10$

즉, 주어진 정다각형은 정십각형이다. ⋯ [3점]

$\therefore x=10-3=7$ ⋯ [3점]

$\therefore y=\dfrac{10\times(10-3)}{2}=35$ ⋯ [3점]

$\therefore n+x+y=10+7+35=52$ ⋯ [1점]

19 22개

구하는 정다각형을 정n각형이라 하면 한 외각의 크기인 $\dfrac{360°}{n}$가 정수이어야 하므로 n이 $360=2^3\times3^2\times5$의 약수이어야 한다. ⋯ [3점]

360의 약수의 개수는

$(3+1)\times(2+1)\times(1+1)=24$(개) ⋯ [4점]

따라서 n의 값 1, 2를 제외하면, 한 내각의 크기가 정수인 정다각형의 개수는 22개이다. ··· [3점]

20 2

육각형 ABCDEF의 내각의 크기가 모두 같으므로 외각의 크기도 모두 같다.

즉, (한 외각의 크기)$=\dfrac{360°}{6}=60°$이므로

육각형 ABCDEF의 각 변을 연장하여 새로 만든 △PBA, △QDC, △RFE, △PQR는 정삼각형이다.

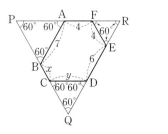

··· [5점]

이때, $\overline{PQ}=\overline{PR}=\overline{QR}$이므로

$7+x+y=7+4+4=y+6+4$

따라서 $x=3$, $y=5$이므로

$y-x=2$ ··· [5점]

IV 원과 부채꼴

01 원과 부채꼴의 성질
p. 115~p. 119

유형 **01** (1) 원 (2) 호 (3) 현		확 **01** ⑤	
유형 **02** ⑤	확 **02** 24 cm	유형 **03** ④	확 **03** ②, ⑤
유형 **04** ③	확 **04** ②		

찹 **01** ㉠ 부채꼴 AOE ㉡ 활꼴 ED ㉢ 현 BC · 찹 **02** 5 cm

찹 **03** ② · 찹 **04** 160

생각 8 cm · 생각 ②

생각 풀이 참조

유형 **01** (1) **원** (2) **호** (3) **현**

확 **01** ⑤

⑤ 중심각의 크기가 180°인 부채꼴이 반원이다.

확 **02** ⑤

부채꼴과 활꼴이 같아지는 경우는 반원일 때이므로 중심각의 크기는 180°이다.

확 **02** 24 cm

원의 현 중에서 길이가 가장 긴 현은 지름이므로
(지름의 길이)$=2×$(반지름의 길이)
$\qquad\qquad\qquad =2×12=24$(cm)

유형 **03** ④

④ 현의 길이는 중심각의 크기에 정비례하지 않는다.

확 **03** ②, ⑤

② 한 원에서 호의 길이는 중심각의 크기에 정비례한다.
⑤ 한 원에서 부채꼴의 넓이는 중심각의 크기에 정비례한다.

유형 04 ③

부채꼴의 호의 길이는 중심각의 크기에 정비례하므로

$25° : 125° = 3 : x$에서

$1 : 5 = 3 : x$ $\therefore x = 15$

또, $25 : y = 3 : 9$에서

$25 : y = 1 : 3$ $\therefore y = 75$

學 04 ②

(부채꼴 AOB의 넓이) : (부채꼴 COD의 넓이)

$= \angle AOB : \angle COD$

이므로

$87 : (부채꼴 COD의 넓이) = 105° : 35° = 3 : 1$

$3 \times (부채꼴 COD의 넓이) = 87$

$\therefore (부채꼴 COD의 넓이) = 29(\mathrm{cm}^2)$

꼼 01 ㉠ 부채꼴 AOE   ㉡ 활꼴 ED   ㉢ 현 BC

꼼 02 5 cm

오른쪽 그림에서 $\angle AOB = 60°$일

때, $\triangle AOB$는 정삼각형이므로

$\overline{AB} = 5\,\mathrm{cm}$

꼼 03 ②

② 현의 길이와 중심각의 크기는 정비례하지 않는다.

$\therefore \overline{BD} < 2\overline{AB}$

꼼 04 160

부채꼴의 호의 길이는 중심각의 크기에 정비례하므로

$x : 120 = 4 : 12$

$\therefore x = 40$

부채꼴의 넓이는 중심각의 크기에 정비례하므로

$y : 90 = 72 : 54$

$\therefore y = 120$

$\therefore x + y = 40 + 120 = 160$

생각 ○ 8 cm

$\triangle DOP$는 $\overline{DO} = \overline{DP}$인 이등변삼각형이므로

$\angle DOP = \angle P = 20°$, $\angle ODC = 20° + 20° = 40°$

또, $\triangle OCD$는 $\overline{OC} = \overline{OD}$인 이등변삼각형이므로

$\angle OCD = \angle ODC = 40°$

$\triangle OCP$에서

$\angle AOC = 40° + 20° = 60°$

이때, $\widehat{AC} : \widehat{BD} = \angle AOC : \angle BOD$이므로

$24 : \widehat{BD} = 60° : 20° = 3 : 1$

$3\widehat{BD} = 24$

$\therefore \widehat{BD} = 8(\mathrm{cm})$

생각 ○○ ②

$\overline{OE}$를 그으면

$\angle OEA = \angle OAE = \angle DOB = 25°$ (동위각)

$\triangle AOE$에서 $\angle AOE = 180° - (25° + 25°) = 130°$

따라서 $\angle AOC = \angle BOD = 25°$ (맞꼭지각)이므로

$\widehat{AC} : \widehat{AE} = 25° : 130°$, $5 : \widehat{AE} = 5 : 26$

$\therefore \widehat{AE} = 26(\mathrm{cm})$

생각 ○○○ 풀이 참조

1시간이 이루는 중심각의 크기는

$360° \div 24 = 15°$

[조건 1]에서 수빈이의 수면 시간은

$120° \div 15° = 8$(시간)

즉, 11시에 잠자기 시작한 수빈이의 기상 시간은 7시

가 된다.

[조건 2]에서 8시에 시작되는 학교 생활은 [조건 3]에서 $8 \times 1.25 = 10$(시간)이다.

[조건 5]로부터 부채꼴의 넓이는 중심각의 크기에 정비례하므로 잠들기 전까지 공부하는 시간은

$10 \times \dfrac{3}{10} = 3$(시간)이 된다.

따라서 수빈이의 하루 일과표는 다음 그림과 같다.

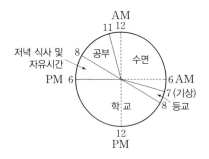

---

02 원의 둘레의 길이와 넓이

p. 121 ~ p. 125

유형 **05** 15	學 **05** $9\pi \text{ cm}^2$
유형 **06** ③	學 **06** $12\pi \text{ cm}$
유형 **07** ④	學 **07** $(100\pi - 200) \text{ cm}^2$
유형 **08** $(4\pi + 16) \text{ cm}$	學 **08** $(12\pi + 36) \text{ cm}$
꿈 **05** $6\pi \text{ cm}$	꿈 **06** ②
꿈 **07** ⑤	꿈 **08** $(2\pi + 10) \text{ m}$
생각 풀이 참조	생각 ①, ⑤
생각 ④	

유형 05 15

(원 O의 둘레의 길이) $= 2\pi r = 30\pi$

$\therefore r = 15$

學 05 $9\pi \text{ cm}^2$

원 O의 반지름의 길이가 3 cm이므로

$S = \pi \times 3^2 = 9\pi \,(\text{cm}^2)$

유형 06 ③

(색칠한 부분의 둘레의 길이) $= 2\pi \times 4 + 2\pi \times 8$
$\qquad\qquad\qquad\qquad\qquad = 24\pi \,(\text{cm})$

學 06 $12\pi \text{ cm}$

$\overline{\text{AB}} = \overline{\text{BC}} = \overline{\text{CD}} = 4 \text{ cm}$이므로

(색칠한 부분의 둘레의 길이)
$= (\overparen{\text{AC}} + \overparen{\text{BD}}) + (\overparen{\text{AB}} + \overparen{\text{CD}})$
$= 2\pi \times 4 + 2\pi \times 2$
$= 8\pi + 4\pi = 12\pi \,(\text{cm})$

유형 07 ④

정사각형의 한 변의 길이를 $x \text{ cm}$라 하면
$x^2 = 100 \qquad \therefore x = 10 (\because x > 0)$
$\therefore$ (원 O의 넓이) $= \pi \times 10^2 = 100\pi \,(\text{cm}^2)$

學 07 $(100\pi - 200)\,\text{cm}^2$

(색칠한 부분의 넓이)$=\pi \times 10^2 - \left(\dfrac{1}{2} \times 10 \times 20\right) \times 2$
$=100\pi - 200\,(\text{cm}^2)$

유형 08 $(4\pi + 16)\,\text{cm}$

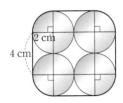

(끈의 최소 길이)
$=$(원의 둘레의 길이)$+4+4+4+4$
$=(2\pi \times 2) + (4 \times 4)$
$=4\pi + 16\,(\text{cm})$

學 08 $(12\pi + 36)\,\text{cm}$

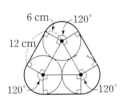

(끈의 최소 길이)
$=$(원의 둘레의 길이)$+12+12+12$
$=(2\pi \times 6) + (12 \times 3)$
$=12\pi + 36\,(\text{cm})$

習 05 $6\pi\,\text{cm}$

(원의 넓이)$=\pi r^2 = 9\pi$
$r=3\ (\because\ r>0)$
$\therefore$ (원의 둘레의 길이)$=2\pi r = 2\pi \times 3 = 6\pi\,(\text{cm})$

習 06 ②

작은 원의 반지름의 길이는 $3\,\text{cm}$이므로 큰 원의 반지름의 길이는 $\dfrac{9}{2}\,\text{cm}$이다.

$\therefore$ (색칠한 부분의 둘레의 길이)
$=2\pi \times \dfrac{9}{2} + (2\pi \times 3) \times 2$
$=9\pi + 12\pi = 21\pi\,(\text{cm})$

習 07 ⑤

원의 반지름의 길이를 $r\,\text{cm}$라 하면
$\pi r^2 = 225\pi,\ r^2 = 225$ $\therefore\ r=15(\because\ r>0)$
따라서 정사각형의 한 변의 길이는
$2r = 2 \times 15 = 30\,(\text{cm})$
$\therefore$ (정사각형의 넓이)$=30 \times 30 = 900\,(\text{cm}^2)$

習 08 $(2\pi + 10)\,\text{m}$

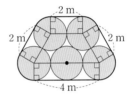

(끈의 최소 길이)
$=$(원의 둘레의 길이)$+2+2+2+4$
$=(2\pi \times 1) + 10 = 2\pi + 10\,(\text{m})$

생각 ○ 풀이 참조

각 음을 숫자로 나타내면
도$=1$, 레$=2$, 미$=3$, 파$=4$, 솔$=5$, 라$=6$,
시$=7$, 도$=8$, 레$=9$, $\cdots$
와 같다.
따라서 악보에 나타난 원주율 암호는
$3.14\ 1592\ 6535\ 8979$
$3238\ 4626\ 4338\ 3279$

생각 ○○ ①, ⑤

①, ③ (직사각형의 넓이)$=$(원의 넓이)
②, ⑤ (원의 둘레의 길이)
$\qquad\qquad\quad =$(직사각형의 가로의 길이의 합)
④ (직사각형의 세로의 길이)$=$(원의 반지름의 길이)
$\quad$ (직사각형의 가로의 길이)$=\dfrac{1}{2} \times$(원의 둘레의 길이)

생각 ○○○ ④

바깥쪽 트랙과 안쪽 트랙의 직선 거리는 서로 같으므로 곡선 거리만 비교하면 된다.

안쪽 트랙의 중앙의 반지름의 길이를 $\left(r+\dfrac{1}{2}\right)$ m라 하면 바깥쪽 트랙의 중앙의 반지름의 길이는 $\left(r+\dfrac{3}{2}\right)$ m이다.

(안쪽 트랙의 중앙의 곡선 거리)
$$=2\pi \times \left(r+\frac{1}{2}\right)=(2r+1)\pi\,(\mathrm{m})$$

(바깥쪽 트랙의 중앙의 곡선 거리)
$$=2\pi \times \left(r+\frac{3}{2}\right)=(2r+3)\pi\,(\mathrm{m})$$

따라서 바깥쪽 트랙의 중앙에서 시작하는 학생이 2π m만큼 앞에서 출발해야 한다.

---

03 부채꼴의 호의 길이와 넓이

p. 127 ~ p. 131

유형 **09** $\dfrac{18}{5}\pi$ cm	學 **09** 30 cm
유형 **10** ④	學 **10** 20π cm²
유형 **11** $(5\pi+8)$ cm	學 **11** $(4\pi+12)$ cm
유형 **12** $(144-24\pi)$ cm²	學 **12** $(8\pi-16)$ cm²
꼼 **09** $\dfrac{3}{2}\pi$ cm	꼼 **10** ⑤
꼼 **11** $(5\pi+10)$ cm	꼼 **12** ①
생각 ○○ $(50+25\pi)$ cm²	생각 ○○ 6π
생각 ○○○ $\dfrac{59}{2}\pi$ m²	

유형 09 $\dfrac{18}{5}\pi$ cm

(정오각형의 한 내각의 크기)
$$=\frac{180° \times (5-2)}{5}=108°$$
따라서 부채꼴의 호의 길이는
$$2\pi \times 6 \times \frac{108}{360}=\frac{18}{5}\pi\,(\mathrm{cm})$$

學 09 30 cm

부채꼴의 반지름의 길이를 r cm라 하면
$$2\pi \times r \times \frac{30}{360}=5\pi$$
$$\therefore r=30$$

유형 10 ④

$$(부채꼴의 넓이)=\pi \times 12^2 \times \frac{135}{360}=54\pi\,(\mathrm{cm}^2)$$

學 10 20π cm²

$$(부채꼴의넓이)=\frac{1}{2}\times 8 \times 5\pi=20\pi\,(\mathrm{cm}^2)$$

유형 11 $(5\pi+8)\,\mathrm{cm}$

(색칠한 부분의 둘레의 길이)

$=2\pi\times12\times\dfrac{45}{360}+2\pi\times8\times\dfrac{45}{360}+2\times4$

$=3\pi+2\pi+8=5\pi+8\,(\mathrm{cm})$

學 11 $(4\pi+12)\,\mathrm{cm}$

(정육각형의 한 내각의 크기)

$=\dfrac{180°\times(6-2)}{6}=120°$

$\therefore$ (색칠한 부분의 둘레의 길이)

$\quad=2\pi\times6\times\dfrac{120}{360}+6\times2$

$\quad=4\pi+12\,(\mathrm{cm})$

유형 12 $(144-24\pi)\,\mathrm{cm}^2$

$\overline{\mathrm{BE}}=\overline{\mathrm{CE}}=\overline{\mathrm{BC}}=12\,\mathrm{cm}$이므로 $\triangle\mathrm{EBC}$는 정삼각형이다.

이때, $\angle\mathrm{EBC}=\angle\mathrm{ECB}=60°$이므로

$\angle\mathrm{ABE}=\angle\mathrm{DCE}=90°-60°=30°$

$\therefore$ (색칠한 부분의 넓이)

$\quad=12\times12-\left(\pi\times12^2\times\dfrac{30}{360}\right)\times2$

$\quad=144-24\pi\,(\mathrm{cm}^2)$

學 12 $(8\pi-16)\,\mathrm{cm}^2$

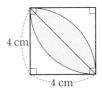

(색칠한 부분의 넓이)

$=2\times\left(\pi\times4^2\times\dfrac{90}{360}-\dfrac{1}{2}\times4\times4\right)$

$=2(4\pi-8)$

$=8\pi-16\,(\mathrm{cm}^2)$

習 09 $\dfrac{3}{2}\pi\,\mathrm{cm}$

$2\pi\times3\times\dfrac{90}{360}=\dfrac{3}{2}\pi\,(\mathrm{cm})$

習 10 ⑤

부채꼴의 반지름의 길이를 $r\,\mathrm{cm}$라 하면

$\pi\times r^2\times\dfrac{40}{360}=4\pi$

$r^2=36$

$\therefore r=6\,(\because r>0)$

$\therefore$ (부채꼴의 호의 길이)

$\quad=2\pi\times6\times\dfrac{40}{360}$

$\quad=\dfrac{4}{3}\pi\,(\mathrm{cm})$

習 11 $(5\pi+10)\,\mathrm{cm}$

색칠한 부분의 곡선의 길이는 중심각의 크기가 $30°$인 호의 길이와 중심 각의 크기가 $60°$인 호의 길이의 합이므로 중심각의 크기가 $90°$인 부채꼴의 호의 길이와 같다.

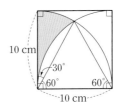

$\therefore$ (색칠한 부분의 둘레의 길이)

$\quad=2\pi\times10\times\dfrac{1}{4}+10$

$\quad=5\pi+10\,(\mathrm{cm})$

꿈 12 ①

다음 그림과 같이 ㉠, ㉡을 각각 이동해 보자.

∴ (색칠한 부분의 넓이)

= (지름이 $\overline{AE}$인 반원의 넓이)

$= \pi \times 8^2 \times \dfrac{1}{2} = 32\pi(\text{cm}^2)$

생각 ○ $(50 + 25\pi)\,\text{cm}^2$

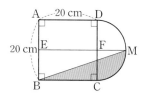

(색칠한 부분의 넓이)

= (□EBCF의 넓이) + (부채꼴 FCM의 넓이)

$\qquad\qquad\qquad\quad - (\triangle EBM의 넓이)$

$= 10 \times 20 + \pi \times 10^2 \times \dfrac{90}{360} - \dfrac{1}{2} \times 10 \times (20 + 10)$

$= 200 + 25\pi - 150 = 50 + 25\pi(\text{cm}^2)$

생각 ○○ 6π

꼭짓점 A가 움직인 거리를 그림으로 나타내면 다음과 같다.

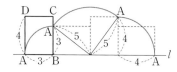

∴ (꼭짓점 A가 움직인 거리)

$= 2\pi \times 3 \times \dfrac{90}{360} + 2\pi \times 5 \times \dfrac{90}{360} + 2\pi \times 4 \times \dfrac{90}{360}$

$= \dfrac{3}{2}\pi + \dfrac{5}{2}\pi + 2\pi = 6\pi$

생각 ○○○ $\dfrac{59}{2}\pi\,\text{m}^2$

양이 움직일 수 있는 영역은 다음 그림의 색칠한 부분과 같다.

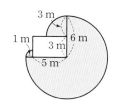

∴ (색칠한 부분의 넓이)

$= \pi \times 6^2 \times \dfrac{3}{4} + \pi \times 3^2 \times \dfrac{1}{4} + \pi \times 1^2 \times \dfrac{1}{4}$

$= 27\pi + \dfrac{9}{4}\pi + \dfrac{1}{4}\pi$

$= \dfrac{59}{2}\pi(\text{m}^2)$

단원 종합 문제

p. 132~p. 137

01 ③	**02** ⑤	**03** ④	**04** 4 : 1 : 1
05 168°	**06** ④	**07** ⑤	**08** 3 : 1
09 ⑤	**10** $(39\pi+144)$ m²		**11** ④
12 ②	**13** $(4\pi+6)$ cm		**14** 7500원
15 ③	**16** ②		

17 (1) $(2\pi+24)$ cm (2) $(4\pi+48)$ cm²

18 12 cm

19 2π cm²

20 24 cm²

01 ③

③ 원의 중심 O를 지나는 현은 지름이다.

02 ⑤

$\overset{\frown}{AB} : \overset{\frown}{CD} = \angle AOB : \angle COD$이므로

$3 : 9 = 30° : \angle x$

$\therefore \angle x = 90°$

03 ④

$4\overset{\frown}{AC} = \overset{\frown}{BC}$이므로 $\overset{\frown}{AC} : \overset{\frown}{BC} = 1 : 4$

즉, $\angle AOC : \angle BOC = 1 : 4$이고,

$\angle AOC + \angle BOC = 180°$이므로

$\angle BOC = 180° \times \dfrac{4}{5} = 144°$

이때, △OCB는 $\overline{OC} = \overline{OB}$인 이등변삼각형이므로

$\angle x = \dfrac{1}{2} \times (180° - 144°) = 18°$

04 4 : 1 : 1

$\overline{AC} /\!/ \overline{OD}$이므로 $\angle CAO = \angle DOB = 30°$(동위각)

$\overline{OC}$를 그으면 △OAC에서 $\overline{OA} = \overline{OC}$이므로

$\angle OCA = \angle CAO = 30°$

$\overline{AC} /\!/ \overline{OD}$이므로 $\angle COD = \angle OCA = 30°$(엇각)

$\therefore \angle AOC = 180° - (30° + 30°) = 120°$

$\therefore \overset{\frown}{AC} : \overset{\frown}{CD} : \overset{\frown}{DB}$

$\quad = \angle AOC : \angle COD : \angle DOB$

$\quad = 120° : 30° : 30°$

$\quad = 4 : 1 : 1$

05 168°

부채꼴의 중심각의 크기는 부채꼴의 넓이에 정비례하므로

(넓이가 가장 큰 피자 조각의 중심각의 크기)

$= 360° \times \dfrac{7}{3+5+7} = 168°$

06 ④

④ $\angle COD = 3\angle AOB$이지만

(△COD의 넓이) $< 3 \times$ (△AOB의 넓이)

즉, 삼각형의 넓이는 중심각의 크기에 정비례하지 않는다.

07 ⑤

⑤ (원의 넓이) = (원의 반지름의 길이)$^2 \times$ (원주율)

08 3 : 1

원 O_1의 반지름의 길이를 r라 하면 두 원 O_2와 O_3의 반지름의 길이는 각각 $\dfrac{3}{5}r$, $\dfrac{2}{5}r$이다.

(O_1의 넓이) $= \pi r^2$

(O_2의 넓이) $= \pi \times \left(\dfrac{3}{5}r\right)^2 = \dfrac{9}{25}\pi r^2$

(O_3의 넓이) $= \pi \times \left(\dfrac{2}{5}r\right)^2 = \dfrac{4}{25}\pi r^2$

이므로

(색칠한 부분의 넓이)

$=$ (O_1의 넓이) $-$ (O_2의 넓이) $-$ (O_3의 넓이)

$= \pi r^2 - \dfrac{9}{25}\pi r^2 - \dfrac{4}{25}\pi r^2 = \dfrac{12}{25}\pi r^2$

∴ (색칠한 부분의 넓이) : (O_3의 넓이)

$$= \frac{12}{25}\pi r^2 : \frac{4}{25}\pi r^2 = 3 : 1$$

09 ⑤

원 D의 지름의 길이를 x라 하면

원 C의 지름의 길이는 $2x$

원 B의 지름의 길이는 $2x+x=3x$

원 A의 지름의 길이는 $2x+3x=5x$

이때, 원 A, B, C, D의 둘레의 길이의 합은 88π이므로

$5\pi x+3\pi x+2\pi x+\pi x=88\pi$, $11\pi x=88\pi$

∴ $x=8$

따라서 원 A, B, C, D의 지름의 길이는 각각 40, 24, 16, 8이므로 구하는 넓이의 합은

$\pi \times 20^2 + \pi \times 12^2 + \pi \times 8^2 + \pi \times 4^2 = 624\pi$

10 $(39\pi+144)\,\mathrm{m}^2$

(트랙의 넓이)

$=(\pi \times 8^2 - \pi \times 5^2)+2 \times 24 \times 3$

$=(64\pi-25\pi)+144$

$=39\pi+144\,(\mathrm{m}^2)$

11 ④

오른쪽 그림과 같이 ㉠, ㉡을 각각 이동하면

(색칠한 부분의 넓이)

$=\frac{1}{2} \times 10 \times 10 = 50\,(\mathrm{cm}^2)$

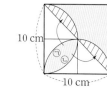

12 ②

정오각형의 한 외각의 크기는

$\frac{360°}{5}=72°$이므로 각 부채꼴의 중심각의 크기는 $72°$이다.

이때, $\overline{AE}=1\,\mathrm{cm}$, $\overline{BF}=2\,\mathrm{cm}$,

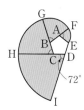

$\overline{CG}=3\,\mathrm{cm}$, $\overline{DH}=4\,\mathrm{cm}$이므로

(색칠한 부분의 넓이)

$=\pi \times 1^2 \times \frac{72}{360} + \pi \times 2^2 \times \frac{72}{360} + \pi \times 3^2 \times \frac{72}{360}$

$\qquad + \pi \times 4^2 \times \frac{72}{360}$

$=(\pi+4\pi+9\pi+16\pi) \times \frac{1}{5}$

$=30\pi \times \frac{1}{5}=6\pi\,(\mathrm{cm}^2)$

13 $(4\pi+6)\,\mathrm{cm}$

다음 그림에서 △EBC는 한 변의 길이가 $6\,\mathrm{cm}$인 정삼각형이므로 $\angle EBC=\angle ECB=60°$이다.

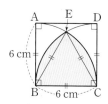

∴ (색칠한 부분의 둘레의 길이)

$\quad=$(부채꼴 BCE의 호의 길이)$\times 2+6$

$\quad=\left(2\pi \times 6 \times \frac{60}{360}\right) \times 2+6$

$\quad=4\pi+6\,(\mathrm{cm})$

14 7500원

기본료는 전체의 40 %이므로 기본료를 나타내는 부채꼴의 중심각의 크기를 $x°$라 하면

$\frac{x}{360} \times 100 = 40$ ∴ $x=144$

이때, 통화료를 y원이라 하면

$12000 : y = 144 : 90$

$12000 : y = 8 : 5$

∴ $y=7500$

따라서 통화료는 7500원이다.

15 ③

위의 그림에서 △ABC는 정삼각형이므로
∠ABC=60°이다.

$$\therefore \widehat{AC}=2\pi\times1\times\frac{60}{360}=\frac{1}{3}\pi$$

따라서 구하는 둘레의 길이는

$$6\times\widehat{AC}=6\times\frac{1}{3}\pi=2\pi$$

16 ②

위의 그림과 같이 이동하면 구하는 넓이는 반지름의 길이가 $3\,\mathrm{cm}$이고 중심각이 $60°$인 부채꼴의 넓이와 같다.
따라서 구하는 넓이는

$$\pi\times3^2\times\frac{60}{360}=\frac{3}{2}\pi\,(\mathrm{cm}^2)$$

17 (1) $(2\pi+24)\,\mathrm{cm}$　(2) $(4\pi+48)\,\mathrm{cm}^2$

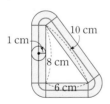

(1) 위의 그림에서 원의 중심이 움직인 거리는 빨간선의 길이와 같으므로 원의 중심이 움직인 거리는
　(반지름의 길이가 $1\,\mathrm{cm}$인 원의 둘레의 길이)
$$+8+6+10$$
$$=2\pi+24\,(\mathrm{cm}) \hspace{2em} \cdots\text{[3점]}$$

(2) 위의 그림에서 원이 지나간 부분의 넓이는 색칠한

부분의 넓이와 같으므로 원이 지나간 부분의 넓이는
(반지름의 길이가 $2\,\mathrm{cm}$인 원의 넓이)
$$+8\times2+6\times2+10\times2$$
$$=4\pi+48\,(\mathrm{cm}^2) \hspace{2em} \cdots\text{[3점]}$$

18 $12\,\mathrm{cm}$

[방법 1]에 필요한 끈의 길이의 최솟값은
$$2\pi\times3+4\times(2\times3)=6\pi+24\,(\mathrm{cm}) \hspace{1em} \cdots\text{[4점]}$$

[방법 2]에 필요한 끈의 길이의 최솟값은
$$2\pi\times3+2\times(6\times3)=6\pi+36\,(\mathrm{cm}) \hspace{1em} \cdots\text{[4점]}$$

따라서 $(6\pi+36)-(6\pi+24)=12\,(\mathrm{cm})$이므로
[방법 2]가 [방법 1]보다 끈이 $12\,\mathrm{cm}$ 더 필요하다.

$$\hspace{18em} \cdots\text{[2점]}$$

19 $2\pi\,\mathrm{cm}^2$

$S=T$이므로

$$(\square\mathrm{CABD}\text{의 넓이})=\left(\pi\times2^2\times\frac{90}{360}\right)\times2-\mathrm{T}+\mathrm{S}$$
$$=\pi\times2=2\pi\,(\mathrm{cm}^2) \hspace{1em} \cdots\text{[10점]}$$

20 $24\,\mathrm{cm}^2$

(색칠한 부분의 넓이)

$$=\pi\times3^2\times\frac{1}{2}+\pi\times4^2\times\frac{1}{2}+\frac{1}{2}\times6\times8-\pi\times5^2\times\frac{1}{2}$$
$$=\frac{9}{2}\pi+8\pi+24-\frac{25}{2}\pi=24\,(\mathrm{cm}^2) \hspace{1em} \cdots\text{[10점]}$$

V 입체도형

01 다면체
p. 145 ~ p. 149

유형 **01** ②, ④	學 **01** ③	유형 **02** ③	學 **02** ④
유형 **03** ②	學 **03** 19		
유형 **04** 팔각뿔대	學 **04** ④		
꼭 **01** ㄴ, ㄷ, ㅂ	꼭 **02** ⑤		
꼭 **03** 2	꼭 **04** 오각뿔		
생각 ②, ⑤	생각 2		
생각 48개			

유형 01 ②, ④
다면체는 다각형인 면으로만 둘러싸인 입체도형이다.
따라서 다면체는 ②, ④이다.
①, ③, ⑤는 회전체이다.

學 01 ③
다면체는 다각형인 면으로만 둘러싸인 입체도형이다.
ㄱ, ㄹ은 회전체, ㅁ은 다각형이다.
따라서 다면체는 ㄴ, ㄷ, ㅂ의 3개이다.

유형 02 ③
주어진 입체도형은 사각뿔대이고 옆면의 모양은 사다리꼴이다.

學 02 ④
④ 각뿔의 옆면은 삼각형이다.

유형 03 ②
② 사각뿔대는 면이 6개이므로 육면체이다.

學 03 19
육각뿔의 꼭짓점의 개수는 7개, 모서리의 개수는 12개이다.
$\therefore v=7$, $e=12$
$\therefore v+e=7+12=19$

유형 04 팔각뿔대
두 밑면이 서로 평행하고, 옆면의 모양이 모두 사다리꼴이므로 구하는 입체도형은 각뿔대이다.
꼭짓점의 개수가 16개인 각뿔대를 n각뿔대라 하면
$2n=16$에서 $n=8$
따라서 구하는 다면체는 팔각뿔대이다.

學 04 ④
모서리의 개수가 27개인 각기둥을 n각기둥이라 하면
$3n=27$에서 $n=9$
따라서 주어진 입체도형은 구각기둥이므로 십일면체이다.

꼭 01 ㄴ, ㄷ, ㅂ
ㄱ, ㄹ, ㅁ은 회전체이다.
따라서 다면체는 ㄴ, ㄷ, ㅂ이다.

꼭 02 ⑤
⑤ 각기둥의 옆면은 직사각형이다.

꼭 03 2
주어진 입체도형은 오각뿔대이므로 꼭짓점의 개수는 10개, 모서리의 개수는 15개, 면의 개수는 7개이다.
$\therefore v=10$, $e=15$, $f=7$
$\therefore v-e+f=10-15+7=2$

꼭 04 오각뿔
밑면이 1개이고 옆면의 모양이 모두 삼각형이므로 구하는 입체도형은 각뿔이다.
이때, 모서리의 개수가 10개이므로 오각뿔이다.

생각 ○ ②, ⑤

② 육각기둥의 면의 개수는 8개이다.
⑤ 삼각기둥의 밑면에 수직인 평면으로 자를 때 생기는 단면은 직사각형이다.

생각 ○○ 2

주어진 입체도형의 꼭짓점의 개수는 10개, 모서리의 개수는 15개, 면의 개수는 7개이다.
$\therefore v=10$, $e=15$, $f=7$
$\therefore v-e+f=10-15+7=2$

생각 ○○○ 48개

다음 그림과 같이 색칠된 면이 2개인 주사위 모양의 나무토막은 각 모서리마다 4개씩 있다.

따라서 주사위 모양의 나무토막의 모서리의 개수는 12개이므로
구하는 나무토막의 개수는
$12\times4=48$(개)

02 정다면체
p. 151 ~ p. 155

유형 05 ③	**學 05** ④
유형 06 정이십면체	**學 06** 6개
유형 07 ②	**學 07** ①
유형 08 ②	**學 08** 정팔면체

참 05 ①	**참 06** ④	**참 07** $\overline{\text{HG}}$	**참 08** 20개

생각 ○ 풀이 참조	**생각 ○○** 5개

생각 ○○○ 꼭짓점의 개수: 24개, 모서리의 개수: 36개

유형 05 ③

ㄴ. 정사면체는 평행한 면이 없다.
따라서 옳은 것은 ㄱ, ㄷ이다.

學 05 ④

㉠ 12   ㉡ 3   ㉢ 20   ㉣ 12
$\therefore$ ㉠+㉡+㉢+㉣$=12+3+20+12=47$

유형 06 정이십면체

각 면의 모양이 모두 합동인 정다각형이고 한 꼭짓점에서 모인 면의 개수가 일정하므로 정다면체이다.
이 때, 한 꼭짓점에서 모인 면의 개수가 5개인 것은 정이십면체이다.

學 06 6개

한 꼭짓점에서 모이는 면의 개수가 4개인 정다면체는 정팔면체이다. 따라서 정팔면체의 꼭짓점의 개수는 6개이다.

유형 07 ②

주어진 전개도를 접어서 만든 입체도형은 오른쪽 그림과 같으므로 $\overline{\text{AB}}$와 꼬인 위치에 있는 모서리는 $\overline{\text{CF}}$이다.

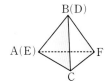

학 07 ①

주어진 전개도로 만든 정육면체는 다음 그림과 같다.

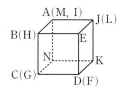

따라서 $\overline{AB}$와 꼬인 위치에 있는 모서리는 ① $\overline{FG}$이다.

유형 08 ②

정다면체의 각 면의 중심을 꼭짓점으로 하는 다면체는 정다면체이고, 이때 처음 도형의 면의 개수만큼 꼭짓점이 생긴다.

② 정육면체의 면은 6개이므로 꼭짓점의 개수가 6개인 정다면체는 다음 그림과 같이 정팔면체이다.

학 08 정팔면체

다음 그림과 같이 정사면체의 각 모서리의 중점을 연결하여 만든 입체도형은 정팔면체이다.

習 05 ①

ㄴ. 면의 개수와 꼭짓점의 개수가 같은 정다면체는 정사면체뿐이다.

ㄷ. 각 면이 모두 합동인 정다각형이고, 각 꼭짓점에 모이는 면의 개수가 같은 다면체를 정다면체라 한다.

따라서 옳은 것은 ㄱ이다.

習 06 ④

각 면이 모두 정오각형으로 이루어진 정다면체는 정십이면체이므로

$x=3$, $y=30$, $z=20$

$\therefore x+y-z=3+30-20=13$

習 07 $\overline{HG}$

주어진 전개도를 접어서 만든 입체도형은 다음 그림과 같으므로 $\overline{BC}$와 겹쳐지는 모서리는 $\overline{HG}$이다.

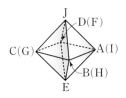

習 08 20개

정팔면체의 각 면의 중심을 연결하여 만든 정다면체는 다음 그림과 같이 정육면체이다.

따라서 정육면체의 꼭짓점의 개수는 8개이고, 모서리의 개수는 12개이므로 그 합은 $8+12=20$(개)이다.

생각 ○ 풀이 참조

한 꼭짓점에 모인 면의 개수가 4개 또는 5개로 서로 다르기 때문에 주어진 입체도형은 정다면체가 아니다.

생각 ○○ 5개

삼각형

정사각형

직사각형

오각형

육각형

마름모

따라서 정육면체를 평면으로 자를 때 생기는 단면의
모양이 될 수 있는 것은 ㄱ, ㄴ, ㄷ, ㄹ, ㅁ의 5개이다.

생각 ○○○ 꼭짓점의 개수: 24개, 모서리의 개수: 36개

사각형의 꼭짓점의 개수는 4개, 육각형의 꼭짓점의 개
수는 6개이고, 한 점에서 만나는 면의 개수는 3개이므
로

$$(꼭짓점의 개수)=\frac{4\times6+6\times8}{3}=24(개)$$

또, 사각형의 모서리의 개수는 4개, 육각형의 모서리
의 개수는 6개이고, 한 모서리에서 만나는 면의 개수
는 2개이므로

$$(모서리의 개수)=\frac{4\times6+6\times8}{2}=36(개)$$

03 회전체

p. 157 ~ p. 161

유형 09 ④	學 09 변 AC
유형 10 ②	學 10 ③
유형 11 7π cm	學 11 ③
유형 12 ④	學 12 ①
절 09 ②	절 10 ③
절 11 풀이 참조	절 12 ⑤
생각 $\frac{144}{25}\pi$ cm^2	생각 6 cm^2
생각 ④	

유형 09 ④

다음 그림과 같이 ④를 l을 회전축으로하여 1회전시
키면 주어진 회전체가 생기는 것을 알 수 있다.

學 09 변 AC

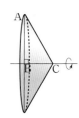

따라서 주어진 회전체는 변 AC를 회전축으로 하여
1회전시킬 때 생기는 입체도형이다.

유형 10 ②

② 원뿔을 회전축을 포함하는 평면으로 자를 때 생기
는 단면의 모양은 이등변삼각형이다.

學 10 ③

① 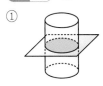 ②

④   ⑤

유형 11 $7\pi\,cm$

옆면이 되는 직사각형의 가로의 길이는 밑면인 원의 둘레의 길이와 같으므로 그 길이는

$2\pi \times 6 = 12\,(cm)$

또, 세로의 길이는 원기둥의 높이와 같으므로 $5\pi\,cm$ 이다.

따라서 가로의 길이와 세로의 길이의 차는

$12\pi - 5\pi = 7\pi\,(cm)$

學 11 ③

실의 길이가 가장 짧게 되는 경우는 주어진 원뿔의 전개도에서 직선으로 나타난다.

유형 12 ④

ㄱ. 회전체는 무수히 많다.

ㄷ. 회전체를 회전축에 수직인 평면으로 자를 때 생기는 단면은 항상 원이지만 서로 합동은 아니다.

따라서 옳은 것은 ㄴ, ㄹ이다.

學 12 ①

① 회전축은 무수히 많다.

꼭 09 ②

다음 그림과 같이 $\overline{BC}$를 회전축으로 하여 1회전시키면 원뿔대를 만들 수 있다.

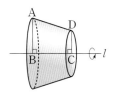

꼭 10 ③

③ 원기둥을 회전축에 수직인 평면으로 자를 때 생기는 단면은 항상 합동인 원이다.

꼭 11 풀이 참조

$\overline{OB} = \overline{OA} \times \dfrac{1}{3} = 12 \times \dfrac{1}{3} = 4\,(cm)$

따라서 점 A에서 점 B까지 실로 연결할 때 실의 길이가 가장 짧게 되는 경우를 전개도 위에 나타내면 다음 그림과 같이 직선으로 나타난다.

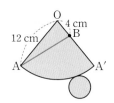

꼭 12 ⑤

① 원뿔, 원기둥, 원뿔대의 밑면은 평면이다.

② 구에는 모선이 없다.

③ 구의 회전축은 무수히 많다.

④ 구는 전개도를 그릴 수 없다.

생각ㅇ $\dfrac{144}{25}\pi\,cm^2$

회전체를 회전축에 수직인 평면으로 자를 때 단면인 원의 넓이가 가장 큰 경우는 다음 그림과 같이 자를 때이다.

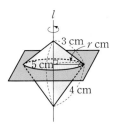

구하는 원의 반지름의 길이를 r cm라 하면

$$\frac{1}{2} \times 3 \times 4 = \frac{1}{2} \times 5 \times r \qquad \therefore r = \frac{12}{5}$$

따라서 크기가 가장 큰 단면의 넓이는

$$\pi \times \left(\frac{12}{5}\right)^2 = \frac{144}{25}\pi\,(\text{cm}^2)$$

생각 ●● $\quad 6\,\text{cm}^2$

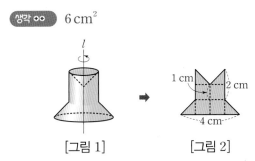

[그림 1]　　　[그림 2]

주어진 평면도형을 직선 l을 축으로 하여 1회전시켰을 때 생기는 입체도형은 [그림 1]이고, [그림 1]을 회전축을 포함한 평면으로 자를 때 생기는 단면은 [그림 2]이다. [그림 2]의 단면의 넓이는 가로의 길이가 $2\,\text{cm}$, 세로의 길이가 $3\,\text{cm}$인 직육면체의 넓이는 같으므로 $2 \times 3 = 6\,(\text{cm}^2)$

생각 ●●● ④

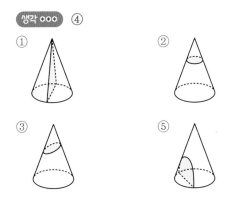

① ② ③ ⑤

---

04 기둥과 뿔의 겉넓이와 부피
p. 163 ~ p. 167

유형 **13** ④	學 **13** 768 cm³
유형 **14** 10 cm	學 **14** ①
유형 **15** ④	學 **15** 288 cm³
유형 **16** ④	學 **16** $\frac{12}{5}$
쩝 **13** ③	쩝 **14** 120π cm³
쩝 **15** 192 cm³	쩝 **16** ⑤
생각 ③	생각 (64π − 128) cm²
생각 32π cm³	

유형 **13** ④

$$(\text{겉넓이}) = (3+4+5) \times 7 + \left(\frac{1}{2} \times 3 \times 4\right) \times 2$$
$$= 84 + 12 = 96\,(\text{cm}^2)$$

學 **13** 768 cm³

$$(\text{밑넓이}) = \frac{1}{2} \times (10+12) \times 6 + \frac{1}{2} \times 12 \times 5$$
$$= 66 + 30 = 96\,(\text{cm}^2)$$
$$\therefore (\text{부피}) = (\text{밑넓이}) \times (\text{높이})$$
$$= 96 \times 8 = 768\,(\text{cm}^3)$$

유형 **14** 10 cm

원기둥의 높이를 h cm라 하면
$$(2\pi \times 4) \times h + (\pi \times 4^2) \times 2 = 112\pi$$
$$8\pi h + 32\pi = 112\pi, \ 8\pi h = 80\pi$$
$$\therefore h = 10$$
따라서 주어진 원기둥의 높이는 10 cm이다.

學 **14** ①

$(\text{부피}) = (\text{밑넓이}) \times (\text{높이})$이므로

$\left(\pi \times 5^2 \times \dfrac{216}{360}\right) \times h = 105\pi, \quad 15\pi h = 105\pi$

$\therefore h = 7$

유형 15 ④

(겉넓이) = (옆넓이) + (밑넓이)

$\qquad = \left(\dfrac{1}{2} \times 5 \times 6\right) \times 4 + 5 \times 5$

$\qquad = 60 + 25 = 85 (\mathrm{cm}^2)$

學 15 $288\,\mathrm{cm}^3$

$(부피) = \dfrac{1}{3} \times \left(\dfrac{1}{2} \times 12 \times 12\right) \times 12 = 288 (\mathrm{cm}^3)$

유형 16 ④

원뿔의 모선의 길이를 $x\,\mathrm{cm}$라 하면

$(\pi \times 5 \times x) + (\pi \times 5^2) = 70\pi, \quad 5x\pi + 25\pi = 70\pi$

$5x\pi = 45\pi \qquad \therefore x = 9$

따라서 모선의 길이는 $9\,\mathrm{cm}$이다.

學 16 $\dfrac{12}{5}$

원뿔 모양의 그릇의 부피와 원기둥 모양의 그릇에서 물이 채워진 부분의 부피는 같다. 즉,

$\dfrac{1}{3} \times (\pi \times 6^2) \times 20 = (\pi \times 10^2) \times x$

$240\pi = 100x\pi \qquad \therefore x = \dfrac{12}{5}$

쪽 13 ③

정육면체의 한 모서리의 길이를 $x\,\mathrm{cm}$라 하면

$x^2 \times 6 = 384, \ x^2 = 64 \qquad \therefore x = 8 (\because x > 0)$

따라서 정육면체의 한 모서리의 길이는 $8\,\mathrm{cm}$이다.

쪽 14 $120\pi\,\mathrm{cm}^3$

(부피) = (큰 원기둥의 부피) − (작은 원기둥의 부피)

$\qquad = (\pi \times 4^2) \times 10 - (\pi \times 2^2) \times 10$

$\qquad = 160\pi - 40\pi = 120\pi (\mathrm{cm}^3)$

쪽 15 $192\,\mathrm{cm}^3$

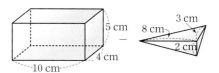

위의 그림에서 구하는 입체도형의 부피는

(사각기둥의 부피) − (삼각뿔의 부피)

$= 10 \times 4 \times 5 - \dfrac{1}{3} \times \left(\dfrac{1}{2} \times 2 \times 3\right) \times 8$

$= 200 - 8 = 192 (\mathrm{cm}^3)$

쪽 16 ⑤

밑면의 반지름의 길이를 $r\,\mathrm{cm}$라 하면

$2\pi \times 6 \times \dfrac{120}{360} = 2\pi r \qquad \therefore r = 2$

$\therefore$ (겉넓이) $= \pi \times 2 \times 6 + \pi \times 2^2 = 16\pi (\mathrm{cm}^2)$

생각 ㅇ ③

생기는 입체도형은 다음 그림과 같이 밑면이 $\triangle \mathrm{EFB}$ 이고 높이가 $\overline{\mathrm{AD}}$인 삼각뿔이다.

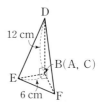

$\therefore$ (부피) $= \dfrac{1}{3} \times \left(\dfrac{1}{2} \times 6 \times 6\right) \times 12$

$\qquad\qquad = 72 (\mathrm{cm}^3)$

생각 ㅇㅇ $(64\pi - 128)\,\mathrm{cm}^2$

주어진 원뿔의 전개도를 나타내면 다음 그림과 같다.

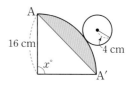

이때, 부채꼴의 중심각의 크기를 $x°$라 하면

$2\pi \times 16 \times \dfrac{x}{360} = 2\pi \times 4 \qquad \therefore x = 90$

$\therefore$ (색칠한 부분의 넓이)

$$=\pi \times 16^2 \times \frac{90}{360} - \frac{1}{2} \times 16 \times 16$$
$$=64\pi - 128(\text{cm}^2)$$

생각 000 $32\pi \, \text{cm}^3$

주어진 그림에서 물의 부피는

$(\pi \times 2^2) \times 5 = 20\pi(\text{cm}^3)$

비어 있는 부분의 부피는

$(\pi \times 2^2) \times 3 = 12\pi(\text{cm}^3)$

$\therefore$ (물병의 부피)

= (물의 부피) + (비어 있는 부분의 부피)

$=20\pi + 12\pi = 32\pi(\text{cm}^3)$

05 구의 겉넓이와 부피

p. 169~p. 173

유형 **17** ③	學 **17** $\frac{875}{6}\pi \, \text{cm}^3$
유형 **18** ①	學 **18** ③
유형 **19** ②	學 **19** $56\pi \, \text{cm}^3$
유형 **20** ⑤	學 **20** $\frac{256}{3}\pi \, \text{cm}^3$
껄 **17** ⑤	껄 **18** $245 \, \text{cm}^2$
껄 **19** $\frac{52}{3}\pi \, \text{cm}^3$	껄 **20** $576\pi \, \text{cm}^3$
생각 겉넓이: $117\pi \, \text{cm}^2$, 부피: $126\pi \, \text{cm}^3$	
생각 ⑤	생각 ④

유형 17 ③

$$(\text{겉넓이}) = \frac{1}{2} \times (4\pi \times 9^2) + \pi \times 9^2$$
$$= 162\pi + 81\pi = 243\pi(\text{cm}^2)$$

學 17 $\frac{875}{6}\pi \, \text{cm}^3$

주어진 입체도형은 구의 $\frac{1}{8}$을 잘라내고 남은 것이므로

$$(\text{부피}) = \frac{7}{8} \times \left(\frac{4}{3}\pi \times 5^3 \right) = \frac{875}{6}\pi(\text{cm}^3)$$

유형 18 ①

$$(\text{겉넓이}) = \left\{ \frac{1}{2} \times (3+7) \times 5 \right\} \times 4 + 3 \times 3 + 7 \times 7$$
$$= 100 + 9 + 49$$
$$= 158(\text{cm}^2)$$

學 18 ③

(부피) = (큰 사각뿔의 부피) − (작은 사각뿔의 부피)

$$= \frac{1}{3} \times (7 \times 7) \times 7 - \frac{1}{3} \times (4 \times 4) \times 4$$
$$= \frac{343}{3} - \frac{64}{3} = 93(\text{cm}^3)$$

유형 19 ②

회전체는 다음 그림과 같다.

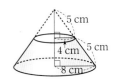

$$(\text{옆넓이})=(\pi \times 8 \times 10)-(\pi \times 4 \times 5)$$
$$=80\pi-20\pi=60\pi$$
$$(\text{밑넓이})=(\pi \times 4^2)+(\pi \times 8^2)$$
$$=16\pi+64\pi=80\pi$$
$$\therefore (\text{겉넓이})=60\pi+80\pi=140\pi(\text{cm}^2)$$

學 19 $56\pi \, \text{cm}^3$

$$(\text{부피})=(\text{큰 원뿔의 부피})-(\text{작은 원뿔의 부피})$$
$$=\frac{1}{3} \times (\pi \times 4^2) \times 12-\frac{1}{3} \times (\pi \times 2^2) \times 6$$
$$=64\pi-8\pi$$
$$=56\pi(\text{cm}^3)$$

유형 20 ⑤

$$(\text{겉넓이})=\pi \times 3 \times 5+\frac{1}{2} \times (4\pi \times 3^2)$$
$$=15\pi+18\pi=33\pi(\text{cm}^2)$$

學 20 $\dfrac{256}{3}\pi \, \text{cm}^3$

야구공의 반지름의 길이를 $r \, \text{cm}$라 하면
원기둥의 높이는 $4r \, \text{cm}$이므로
$$(\pi \times r^2) \times 4r=256\pi, \ r^3=64$$
$$\therefore r=4(\because r>0)$$
따라서 야구공 한 개의 부피는
$$\frac{4}{3}\pi \times 4^3=\frac{256}{3}\pi(\text{cm}^3)$$

習 17 ⑤

주어진 입체도형은 구의 $\dfrac{1}{4}$을 잘라내고 남은 것이므로

$$(\text{겉넓이})=\frac{3}{4} \times (4\pi \times 4^2)+\frac{1}{2} \times (\pi \times 4^2) \times 2$$
$$=48\pi+16\pi=64\pi(\text{cm}^2)$$

習 18 $245 \, \text{cm}^2$

$$(\text{겉넓이})=\left\{\frac{1}{2} \times (5+10) \times 4\right\} \times 4+5 \times 5+10 \times 10$$
$$=120+25+100$$
$$=245(\text{cm}^2)$$

習 19 $\dfrac{52}{3}\pi \, \text{cm}^3$

회전체는 다음 그림과 같다.

$$\therefore (\text{부피})=\frac{1}{3} \times (\pi \times 3^2) \times 6-\frac{1}{3} \times (\pi \times 1^2) \times 2$$
$$=18\pi-\frac{2}{3}\pi=\frac{52}{3}\pi(\text{cm}^3)$$

習 20 $576\pi \, \text{cm}^3$

$$(\text{물로켓의 부피})$$
$$=(\text{원뿔의 부피})+(\text{원기둥의 부피})+(\text{반구의 부피})$$
$$=\frac{1}{3} \times (\pi \times 4^2) \times 10+(\pi \times 4^2) \times 30+$$
$$\frac{1}{2} \times \left(\frac{4}{3}\pi \times 4^3\right)$$
$$=\frac{160}{3}\pi+480\pi+\frac{128}{3}\pi$$
$$=576\pi(\text{cm}^3)$$

생각 ○ **겉넓이:** $117\pi\,\mathrm{cm}^2$, **부피:** $126\pi\,\mathrm{cm}^3$

회전체는 다음 그림과 같다.

$\therefore$ (겉넓이)$=(\pi\times6^2-\pi\times3^2)+\dfrac{1}{2}\times(4\pi\times6^2)$

$\qquad\qquad\qquad\qquad\qquad+\dfrac{1}{2}\times(4\pi\times3^2)$

$\qquad\quad=27\pi+72\pi+18\pi=117\pi\,(\mathrm{cm}^2)$

(부피)$=\dfrac{1}{2}\times\left(\dfrac{4}{3}\pi\times6^3\right)-\dfrac{1}{2}\times\left(\dfrac{4}{3}\pi\times3^3\right)$

$\qquad\quad=144\pi-18\pi=126\pi\,(\mathrm{cm}^3)$

생각 ○○ ⑤

지름의 길이가 $14\,\mathrm{cm}$인 구 모양의 초콜릿의 부피는

$\dfrac{4}{3}\pi\times7^3=\dfrac{1372}{3}\pi\,(\mathrm{cm}^3)$

지름의 길이가 $2\,\mathrm{cm}$인 구 모양의 초콜릿의 부피는

$\dfrac{4}{3}\pi\times1^3=\dfrac{4}{3}\pi\,(\mathrm{cm}^3)$

$\therefore \dfrac{1372}{3}\pi\div\dfrac{4}{3}\pi=343$

따라서 지름의 길이가 $14\,\mathrm{cm}$인 구 모양의 초콜릿을 녹여서 지름의 길이가 $2\,\mathrm{cm}$인 구 모양의 초콜릿을 343개를 만들 수 있다.

생각 ○○○ ④

구의 반지름의 길이를 r라 하면

(정육면체의 부피)$=(2r)^3=8r^3$

(구의 부피)$=\dfrac{4}{3}\pi r^3$

(사각뿔의 부피)$=\dfrac{1}{3}\times(2r\times2r)\times2r=\dfrac{8}{3}r^3$

$\therefore$ (정육면체의 부피) : (구의 부피) : (사각뿔의 부피)

$\qquad=8r^3:\dfrac{4}{3}\pi r^3:\dfrac{8}{3}r^3=6:\pi:2$

---

p. 174~p. 179

단원 종합 문제

01 4개	02 ③	03 ⑤	04 ③
05 ⑤	06 ②	07 ①	
08 $(54+36\pi)\,\mathrm{cm}^2$		09 $\dfrac{7}{3}$	10 28분
11 $108\,\mathrm{cm}^2$	12 ②	13 ⑤	14 64개
15 ⑤	16 $36\pi\,\mathrm{cm}^3$		
17 (1) $80\pi\,\mathrm{cm}^3$	(2) $(40\pi-80)\,\mathrm{cm}^3$	(3) $(40\pi+80)\,\mathrm{cm}^3$	
18 44		19 정사각형	
20 $\dfrac{40}{3}\pi$			

01 4개

직육면체, 삼각뿔, 사각뿔대, 정이십면체가 다면체이므로 다면체의 개수는 4개이다.

02 ③

① $10+7=17$

② $12+8=20$

③ $14+9=23$

④ $9+9=18$

⑤ $10+10=20$

03 ⑤

① 정다면체는 각 면이 모두 합동인 다각형으로 이루어져 있다.

② 정사면체는 면의 개수와 꼭짓점의 개수가 각각 4개로 같다.

③ 정삼각형으로 이루어진 정다면체는 정사면체, 정팔면체, 정이십면체의 세 종류이다.

④ 정사면체를 제외한 네 종류의 정다면체가 평행한 면이 존재한다.

⑤ 정이십면체는 한 꼭짓점에 모이는 면의 개수가 5개로 가장 많은 정다면체이다.

04 ③

1과 7, 2와 9, 3과 8, 4와 12, 5와 11, 6과 10이 서로 평행하다.

05 ⑤

⑤ 원뿔대를 회전축을 포함하는 평면으로 자를 때 생기는 단면의 모양은 등변사다리꼴이다.

06 ②

회전축을 포함하는 평면으로 잘랐을 때 생기는 단면은 윗변의 길이가 $6\,\mathrm{cm}$, 아랫변의 길이가 $12\,\mathrm{cm}$, 높이가 $8\,\mathrm{cm}$인 등변사다리꼴이므로

$$(\text{단면의 넓이})=\frac{1}{2}\times(6+12)\times8=72(\mathrm{cm}^2)$$

07 ①

주어진 전개도로 만들어지는 입체도형은 오른쪽 그림과 같으므로

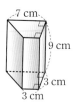

$$(\text{부피})=\left\{\frac{1}{2}\times(7+3)\times3\right\}\times9$$
$$=135(\mathrm{cm}^3)$$

08 $(54+36\pi)\,\mathrm{cm}^2$

밑면이 반원이 되도록 주어진 입체도형을 세웠을 때

$$(\text{밑넓이})=\frac{1}{2}\times(\pi\times3^2)=\frac{9}{2}\pi(\mathrm{cm}^2)$$

$$(\text{옆넓이})=\left(6+2\pi\times3\times\frac{180}{360}\right)\times9$$
$$=54+27\pi(\mathrm{cm}^2)$$

$$\therefore(\text{겉넓이})=(\text{옆넓이})+(\text{밑넓이})\times2$$
$$=54+27\pi+\frac{9}{2}\pi\times2$$
$$=54+36\pi(\mathrm{cm}^2)$$

09 $\dfrac{7}{3}$

두 그릇에 들어 있는 물의 양이 같으므로

$$\frac{1}{3}\times\left(\frac{1}{2}\times7\times4\right)\times3=\left(\frac{1}{2}\times x\times4\right)\times3$$

$$14=6x\qquad\therefore x=\frac{7}{3}$$

10 28분

$$(\text{4분 동안 채운 물의 양})=\frac{1}{3}\times(\pi\times5^2)\times15$$
$$=125\pi(\mathrm{cm}^3)$$

$$(\text{원뿔 모양의 물통의 부피})=\frac{1}{3}\times(\pi\times10^2)\times30$$
$$=1000\pi(\mathrm{cm}^3)$$

$$(\text{더 채워야 할 물의 양})=1000\pi-125\pi$$
$$=875\pi(\mathrm{cm}^3)$$

4분 동안 $125\pi\,\mathrm{cm}^3$의 물이 채워지므로 $875\pi\,\mathrm{cm}^3$를 채우는 데 걸리는 시간을 x분이라 하면

$$4:125\pi=x:875\pi\qquad\therefore x=28$$

따라서 물을 가득 채울 때까지는 28분이 더 필요하다.

11 $108\pi\,\mathrm{cm}^2$

원뿔의 밑면의 둘레의 길이는 $12\pi\,\mathrm{cm}$이고, 3바퀴 돌아 원래의 자리로 돌아왔으므로 큰 원의 둘레의 길이는 $12\pi\times3=36\pi(\mathrm{cm})$

이때, 큰 원의 반지름의 길이를 $r\,\mathrm{cm}$라 하면

$$2\pi r=36\pi\qquad\therefore r=18$$

따라서 원뿔의 모선의 길이는 큰 원의 반지름의 길이와 같으므로

$$(\text{원뿔의 옆넓이})=\pi\times6\times18=108\pi(\mathrm{cm}^2)$$

12 ②

$$(\text{겉넓이})=(\pi\times9\times15-\pi\times3\times5)+\pi\times3^2+\pi\times9^2$$
$$=120\pi+9\pi+81\pi$$
$$=210\pi(\mathrm{cm}^2)$$

13 ⑤

구의 반지름의 길이를 r cm라 하면

$4\pi r^2 = 324\pi$, $r^2 = 81$ $\quad \therefore r = 9 (\because r > 0)$

$\therefore$ (구의 부피) $= \dfrac{4}{3}\pi \times 9^3 = 972\pi (\mathrm{cm}^3)$

14 64개

반지름의 길이가 3 cm인 쇠구슬의 부피는

$\dfrac{4}{3}\pi \times 3^3 = 36\pi (\mathrm{cm}^3)$

반지름의 길이가 12 cm인 쇠구슬의 부피는

$\dfrac{4}{3}\pi \times 12^3 = 2304\pi (\mathrm{cm}^3)$

$\therefore 2304\pi \div 36\pi = 64$

따라서 반지름의 길이가 12 cm인 쇠구슬 1개를 만들려면 반지름의 길이가 3 cm인 쇠구슬 64개가 필요하다.

15 ⑤

회전체는 다음 그림과 같다.

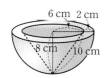

$\therefore$ (겉넓이) $= (\pi \times 8^2 - \pi \times 6^2) + \dfrac{1}{2} \times (4\pi \times 8^2)$
$\qquad\qquad\qquad\qquad\qquad\quad + (\pi \times 6 \times 10)$

$\qquad\quad = 28\pi + 128\pi + 60\pi$

$\qquad\quad = 216\pi (\mathrm{cm}^2)$

16 $36\pi \, \mathrm{cm}^3$

(원기둥의 부피) : (구의 부피) : (원뿔의 부피) $= 3 : 2 : 1$

이므로

$36\pi :$ (구의 부피) : (원뿔의 부피) $= 3 : 2 : 1$

$\therefore$ (원뿔의 부피) $= 12\pi (\mathrm{cm}^3)$,

$\quad$ (구의 부피) $= 24\pi (\mathrm{cm}^3)$

$\therefore$ (원뿔의 부피) $+$ (구의 부피) $= 12\pi + 24\pi$

$\qquad\qquad\qquad\qquad\qquad = 36\pi (\mathrm{cm}^3)$

17 (1) $80\pi \, \mathrm{cm}^3$　(2) $(40\pi - 80) \, \mathrm{cm}^3$
$\quad$ (3) $(40\pi + 80) \, \mathrm{cm}^3$

(1) ((가)의 물의 부피) $= \left(\pi \times 4^2 \times \dfrac{1}{2} \right) \times 10$

$\qquad\qquad\qquad\quad = 80\pi (\mathrm{cm}^3)$ $\qquad$ … [2점]

(2) 흘러 넘치고 남은 물의 밑넓이는 다음 그림의 빗금친 부분이다.

(밑넓이) $= (\pi \times 4^2) \times \dfrac{1}{4} - \left(\dfrac{1}{2} \times 4 \times 4 \right)$

$\qquad\quad = 4\pi - 8 (\mathrm{cm}^2)$

$\therefore$ ((나)의 물의 부피) $= (4\pi - 8) \times 10$

$\qquad\qquad\qquad\qquad = 40\pi - 80 (\mathrm{cm}^3)$ $\quad$ … [2점]

(3) (흘러 넘친 물의 부피) $= 80\pi - (40\pi - 80)$

$\qquad\qquad\qquad\qquad\quad = 40\pi + 80 (\mathrm{cm}^3)$ $\quad$ … [2점]

18 44

정이십면체의 각 꼭짓점에 모이는 면의 개수는 5개이므로 자른 면의 모양은 정오각형이다.

정이십면체의 꼭짓점의 개수는 12개이므로 만들어지는 정오각형의 개수는 12개이다.

$\therefore a = 12$ $\qquad\qquad\qquad\qquad\qquad\qquad$ … [4점]

또, 잘라내고 남은 면은 다음 그림과 같이 정육각형이 된다.

이때 잘라내고 남은 면의 개수는 원래의 정이십면체의 면의 개수와 같으므로

$b = 20$ $\qquad\qquad\qquad\qquad\qquad\qquad\quad$ … [4점]

$\therefore 2a + b = 44$ $\qquad\qquad\qquad\qquad\qquad$ … [2점]

정답 및 해설

19 정사각형

다음 그림과 같이 $\overline{BD}$의 중점을 H라 하자.

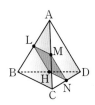

$\overline{LM}=\overline{MN}=\overline{NH}=\overline{HL}$이고, $\overline{LN}=\overline{MH}$이다. ··· [5점]
따라서 □HLMN은 네 변의 길이가 같고, 두 대각선의 길이도 같은 사각형이므로 정사각형이다. ··· [5점]

20 $\dfrac{40}{3}\pi$

회전체는 다음 그림과 같다.

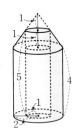

··· [5점]

$$\therefore (\text{부피})=\left(\frac{1}{3}\times\pi\times2^2\times2\right)-\left(\frac{1}{3}\times\pi\times1^2\times1\right)$$
$$+(\pi\times2^2\times4)-(\pi\times1^2\times5)$$
$$=\frac{8}{3}\pi-\frac{\pi}{3}+16\pi-5\pi$$
$$=\frac{7}{3}\pi+11\pi=\frac{40}{3}\pi \qquad \text{··· [5점]}$$

VI 통계

01 줄기와 잎 그림

p. 185~p. 189

유형 **01** 160		學 **01** 14명	
유형 **02** 풀이 참조		學 **02** 풀이 참조	
유형 **03** ④	學 **03** 8편	유형 **04** 59 kg	學 **04** 5
꼭 **01** 22점		꼭 **02** 풀이 참조	
꼭 **03** ④		꼭 **04** 15권	
생각 30.4 m		생각 풀이 참조	
생각 ③			

유형 01 160

가장 작은 변량은 67점, 가장 큰 변량은 93점이므로
$a=67$, $b=93$
$\therefore a+b=67+93=160$

學 01 14명

유형 02 풀이 참조

A팀이 얻은 점수 (6|7은 67점)

줄기	잎
6	7 9
7	5 5 8
8	3 7 7 8 9
9	1 3

學 02 풀이 참조

수학 문제의 수 (0|5는 5개)

줄기	잎
0	5
1	0 2 6 7 9
2	2 4
3	6 7 7 9
4	0 9

유형 03 ④

④ 최고 속력이 66 km/시 이상 72 km/시 이하인 드론의 개수는 4개이다.

學 03 8편

2시간은 120분이므로 상영 시간이 120분 이상인 영화는 모두 8편이다.

유형 04 59 kg

$$(평균)=\dfrac{62+66+56+57+54+53+60+64}{8}$$
$$=\dfrac{472}{8}$$
$$=59\,(kg)$$

學 04 5

버스를 기다린 시간의 총합은 $(215+a)$분이고 조사에 응한 승객 수는 20명이다.
이때, 평균이 11분이므로
$$\dfrac{215+a}{20}=11,\ 215+a=220$$
$$\therefore a=5$$

習 01 22점

가장 큰 변량은 82점이고 가장 작은 변량은 60점이므로 차는 $82-60=22$(점)이다.

習 02 풀이 참조

음악 실기 점수 (6|0은 60점)

줄기	잎
6	0 2 3 6 8 9 9
7	1 1 2 2 2 4 5 7 9
8	0 2

習 03 ④

④ 하루 동안 보낸 문자 메시지의 개수가 35개 이상인 학생은 6명이다.

⑤ 잎이 모두 30개이고, 하루 동안 보낸 문자 메시지의 개수가 30개인 민지는 문자 메시지를 많이 보내는 쪽에서 10번째이므로 많이 보내는 편이다.

習 04 15권

명수네 반 학생들이 1년 동안 읽은 책의 수의 총합은 150권이고 명수네 반 학생 수는 10명이므로
$$(평균)=\dfrac{150}{10}=15\,(권)$$

생각 ○ 30.4 m

줄기가 4인 학생 수가 전체의 $\dfrac{1}{5}$이므로
(전체 학생 수)$=3\times5=15$(명)
따라서 줄기가 2인 학생 수는
$15-(2+6+3)=4$(명)
이므로 줄기가 2인 학생들의 기록의 합은
$24\times4=96\,(m)$
$\therefore$ (전체 학생들의 공 던지기 기록의 평균)
$=(12+14+96+30+32+33+34+35+37$
$+41+44+48)\div15$
$=456\div15=30.4\,(m)$

생각 ○○ 풀이 참조

이런 경우에는 강에서 가장 얕은 수심과 가장 깊은 수심을 조사해야 한다. 강의 얕은 수심은 10 cm도 되지 않고 깊은 수심은 3 m가 넘을 수도 있어 병사들은 강을 건너지 못하고 모두 강에 빠져 목숨을 잃었던 것이다.

생각 ○○○ ③

① 방청소를 하는 데 10분도 걸리지 않는 사람은 없다. 가장 시간이 적게 걸리는 사람이 10분이다.
② 여학생 중 방청소를 하는 데 30분 이상 걸리는 사람은 9명이다.
④ 방청소를 10분만에 끝낼 수 있는 사람은 2명이다.
⑤ 방청소를 하는 데 가장 시간이 길게 걸리는 사람과 가장 시간이 짧게 걸리는 사람의 차이는
$43-10=33$(분)이다.

02 도수분포표

p. 191 ~ p. 195

유형 05 ㉠ 변량 ㉡ 계급 ㉢ 계급의 크기 ㉣ 도수		學 05 ③
유형 06 풀이 참조		學 06 풀이 참조
유형 07 ⑤	學 07 ④	유형 08 ⑤	學 08 ④
習 05 ②		習 06 풀이 참조
習 07 ④		習 08 $A=9$, $B=4$
생각 $A=6$, $B=12$, $C=9$		생각 8 이상 15 미만
생각 풀이 참조		

유형 05 ㉠ 변량 ㉡ 계급 ㉢ 계급의 크기 ㉣ 도수

學 05 ③

③ 계급의 크기는 계급의 양 끝값의 차, 즉 구간의 너비이다.

유형 06 풀이 참조

통화 시간(분)	학생 수(명)
$0^{이상} \sim 10^{미만}$	2
10 ~ 20	4
20 ~ 30	6
30 ~ 40	8
40 ~ 50	4
50 ~ 60	1
합계	25

學 06 풀이 참조

통화 시간(분)	학생 수(명)
$0^{이상} \sim 30^{미만}$	12
30 ~ 60	13
합계	25

계급의 개수가 너무 적어서 자료의 분포 상태를 자세히 알 수 없다.

유형 07 ⑤

⑤ 50 m 달리기 기록이 5번째로 좋은 학생이 속한 계급은 6초 이상 7초 미만이다.

學 07 ④

④ 몸무게가 50 kg인 학생이 속하는 계급의 도수는 18이다.

유형 08 ⑤

통학 시간이 15분 이상인 학생 수는
$30-(3+7)=20$(명)이므로
$A=20 \times \dfrac{3}{5}=12$
$\therefore B=30-(3+7+12+6)=2$
$\therefore A-B=12-2=10$

學 08 ④

멀리뛰기 기록이 380 cm 이상 400 cm 미만인 학생 수를 x명이라 하면 멀리뛰기 기록이 320 cm 이상 340 cm 미만인 학생 수는 $4x$명이므로
$2+4x+11+7+x=30$, $5x=10$
$\therefore x=2$
따라서 $A=8$, $B=2$이므로
$A-B=6$

習 05 ②

② 각 계급의 중앙의 값을 계급값이라 한다.

習 06 풀이 참조

점수(점)	학생 수(명)
$60^{이상} \sim 70^{미만}$	2
70 ~ 80	7
80 ~ 90	8
90 ~ 100	3
합계	20

習 07 ④

①, ② 주어진 도수분포표만으로는 각 학생의 정확한 오래 매달리기 기록을 알 수 없다.
③ 도수가 두 번째로 큰 계급은 12초 이상 16초 미만이다.

④ $\dfrac{4+3}{35}\times100=\dfrac{7}{35}\times100=20\,(\%)$

⑤ 오래 매달리기 기록이 8초인 학생이 속한 계급은
8초 이상 12초 미만이므로 도수는 11명이다.

필 08 $A=9$, $B=4$

미술 점수가 70점 이상인 학생 수는
$40-(5+8)=27$(명)

즉, $A=27\times\dfrac{1}{3}=9$이므로

$B=40-(5+8+9+14)=4$

생각 ○ $A=6$, $B=12$, $C=9$

$A=2x$, $B=4x$, $C=3x$ ($x\neq0$)라 하면
$2+2x+8+4x+3x+3=40$, $13+9x=40$
$9x=27$ ∴ $x=3$
∴ $A=6$, $B=12$, $C=9$

생각 ○○ 8 이상 15 미만

계급 중 하나가 29 이상 36 미만이고 계급의 크기가 7
이다.
따라서 계급에는 22 이상 29 미만, 15 이상 22 미민,
8 이상 15 미만 등이 있고 변량 9가 속하는 계급은 8
이상 15 미만이다.

생각 ○○○ 풀이 참조

연평균 기온(℃)	1971~1990	1991~2010
	도수(일)	도수(일)
$10.0^{이상}\sim10.5^{미만}$	2	0
$10.5\quad\sim11.0$	3	0
$11.0\quad\sim11.5$	6	1
$11.5\quad\sim12.0$	7	4
$12.0\quad\sim12.5$	1	3
$12.5\quad\sim13.0$	1	10
$13.0\quad\sim13.5$	0	2
합계	20	20

이 지역의 연평균 기온이 점점 높아지고 있다고 볼 수
있다.

---

03 히스토그램과 도수분포다각형   p. 197~p. 201

유형 **09** 18	學 **09** ④	유형 **10** 13명	學 **10** 9명
유형 **11** ⑤	學 **11** ③	유형 **12** ②,⑤	學 **12** 11명
필 **09** ①,③	필 **10** 9명	필 **11** ⑤	필 **12** 40명

생각 ○ 250 kcal 이상 300 kcal 미만

생각 ○○ ④   **생각 ○○○** $\dfrac{8}{7}$

유형 09 18

계급의 크기는 10회이고, 제기차기를 22회 찬 학생이
속한 계급은 20회 이상 30회 미만이므로 계급의 도수
는 8명이다.
∴ $a+b=10+8=18$

學 09 ④

① 계급의 개수는 5개이다.
② 은희네 반 전체 학생 수는 $2+7+9+8+4=30$(명)
③ 수면 시간이 6시간 이상 7시간 미만인 계급의 도수
가 9명으로 가장 크다.
④ $\dfrac{2+7}{30}\times100=30\,(\%)$
⑤ 수면 시간이 8시간 이상 9시간 미만인 계급의 도수
는 4명, 7시간 이상 8시간 미만인 계급의 도수는 8
명이므로 5번째로 잠을 많이 자는 학생이 속하는
계급은 7시간 이상 8시간 미만이다.

유형 10 13명

수학 성적이 70점 이상 80점 미만인 학생 수가 6명이
므로 전체 학생 수를 x명이라 하면
$x\times\dfrac{20}{100}=6$ ∴ $x=30$
따라서 수학 성적이 80점 이상 90점 미만인 학생 수는
$30-(4+6+7)=13$(명)

학 10 9명

운동 시간이 12시간 이상 14시간 미만인 학생 수를 x 명이라 하면 운동 시간이 12시간 이상인 학생이 전체의 40 %이므로

$$\frac{x+6}{35} \times 100 = 40 \qquad \therefore x = 8$$

따라서 운동 시간이 10시간 이상 12시간 미만인 학생 수는

$$35 - (1+4+7+8+6) = 9(명)$$

유형 11 ⑤

① 계급의 개수는 5개이다.
② 계급의 크기는 2 cm이다.
③ 전체 학생 수는 $5+9+12+10+4=40$(명)이다.
④ 키가 8 cm 이상 자란 학생 수는 $10+4=14$(명)이

므로 $\frac{14}{40} \times 100 = 35(\%)$

학 11 ③

세 쌍의 삼각형 A와 B, C와 D, E와 F는 각각 밑변의 길이와 높이가 같으므로 넓이가 같다.

유형 12 ②, ⑤

① $4+9=13$(개)
② 계급값이 65 dB, 즉 60 dB 이상 70 dB 미만인 계급의 도수는 $50-(4+9+17+6+2)=12$
③ 도수가 가장 큰 계급은 50 dB 이상 60 dB 미만이다.
④ 알 수 없다.
⑤ 80 dB 이상 90 dB 미만인 계급의 도수는 2개, 70 dB 이상 80 dB 미만인 계급의 도수는 6개이므로 소음의 크기가 7번째로 큰 지역은 70 dB 이상 80 dB 미만인 계급에 속한다.

학 12 11명

기록이 20초 이상 25초 미만인 학생 수를 x 명이라 하면 전체 학생 수는 40명이므로 25초 이상 30초 미만인 학생 수는

$$40 - (2+6+9+x+4) = 19 - x(명)$$

25초 미만인 학생 수는 $(17+x)$ 명, 25초 이상인 학생 수는

$$(19-x)+4 = 23-x(명)이므로$$

$$17+x = 2(23-x)+4, \ 3x = 33 \qquad \therefore x = 11$$

따라서 기록이 20초 이상 25초 미만인 학생 수는 11명이다.

꿈 09 ①, ③

② 전체 학생 수는 $9+12+6+3 = 30$(명)이다.
④ 영어 듣기 평가 성적이 16점 이상 20점 미만인 계급의 학생 수는 3명, 12점 이상 16점 미만인 계급의 학생 수는 6명이므로 성적이 5번째로 좋은 학생이 속한 계급의 계급값은 14점이다.
⑤ 도수가 가장 큰 계급은 8점 이상 12점 미만이다.

꿈 10 9명

사회 성적이 60점 이상 70점 미만인 학생 수를 x 명이라 하면

$$\frac{3+x}{25} \times 100 = 40 \qquad \therefore x = 7$$

이때, 사회 성적이 70점 이상 80점 미만인 학생 수는

$$25 - (3+7+5+1) = 9(명)$$

즉, 사회 성적이 상위 28 % 이내의 학생 수는

$$25 \times \frac{28}{100} = 7(명)$$

이므로 상위 28 %인 학생, 즉 성적이 7번째로 좋은 학생이 속하는 계급은 70점 이상 80점 미만이다.

따라서 상위 28 %인 학생이 속하는 계급의 학생 수는 9명이다.

꿈 11 ⑤

도수분포다각형과 가로축으로 둘러 싸인 부분의 넓이는 (계급의 크기)×(도수의 총합) 이므로

$$2 \times 40 = 80$$

풀이 12 40명

12점 이상 14점 미만인 학생 수를 x명이라 하면 14점 이상 16점 미만인 학생 수는 $2x$명이므로

$6+12+x+2x+18+4=100$

$\therefore x=20$

따라서 14점 이상 16점 미만인 계급의 학생 수는 40 명이다.

생각 ○ $250\,\text{kcal}$ 이상 $300\,\text{kcal}$ 미만

계급의 크기를 $x\,\text{kcal}$라 하면

$x+3x+5x+9x+2x=1000$

$\therefore x=50$

각 계급은 $100\,\text{kcal}$ 이상 $150\,\text{kcal}$ 미만,

$150\,\text{kcal}$ 이상 $200\,\text{kcal}$ 미만,

$200\,\text{kcal}$ 이상 $250\,\text{kcal}$ 미만,

$250\,\text{kcal}$ 이상 $300\,\text{kcal}$ 미만,

$300\,\text{kcal}$ 이상 $350\,\text{kcal}$ 미만이다.

이때, 열량이 높은 쪽에서 10번째인 음식이 속한 계급은 $250\,\text{kcal}$ 이상 $300\,\text{kcal}$ 미만이다.

생각 ○○ ④

① 봉사 활동 시간이 6시간 이상 10시간 미만인 남학생 수는 $7+5=12$(명), 여학생 수는 $5+7=12$(명)으로 서로 같다.

② 여학생의 기록을 나타내는 그래프가 남학생의 기록을 나타내는 그래프보다 오른쪽으로 더 치우쳐 있으므로 여학생의 봉사 활동 시간이 대체적으로 남학생의 봉사 활동 시간보다 많다.

③ 봉사 활동 시간이 가장 적은 학생은 2시간 이상 4시간 미만인 계급에 속해 있고, 이 계급은 남학생에만 있으므로 봉사 활동 시간이 가장 적은 학생은 남학생 중에 있다.

④ 알 수 없다.

⑤ 도수분포다각형과 가로축으로 둘러싸인 부분의 넓이는 히스토그램의 직사각형의 넓이와 같으므로 (계급의 크기)$\times$(도수의 총합)이다.

이때, 두 그래프의 계급의 크기는 2시간으로 같고, (남학생 수)$=$(여학생 수)$=22$(명)이므로 두 그래프와 가로축으로 둘러싸인 부분의 넓이는 $2\times22=44$로 같다.

생각 ○○○ $\dfrac{8}{7}$

$S_1=2\times2+7\times2+\dfrac{1}{2}\times(10\times2)=28$

$S_2=\dfrac{1}{2}\times(10\times2)+8\times2+3\times2=32$

$\therefore \dfrac{S_2}{S_1}=\dfrac{32}{28}=\dfrac{8}{7}$

04 상대도수

p. 203 ~ p. 207

유형 **13** 0.2	學 **13** $A=10$, $B=0.22$, $C=8$, $D=50$, $E=1$		
유형 **14** 5명	學 **14** 0.195	유형 **15** ⑤	學 **15** 3 : 4
유형 **16** 0.4	學 **16** 24명		
彤 **13** ④	彤 **14** ②	彤 **15** ③	彤 **16** 12명
생각 6개		생각 $\dfrac{9a+11b}{20}$	
생각 ㄱ, ㄷ			

유형 **13** 0.2

통학 시간이 40분 이상 50분 미만인 계급의 학생 수는
$40-(4+11+15+2)=8$(명)이므로 이 계급의 상대
도수는

$\dfrac{8}{40}=0.2$

學 **13** $A=10$, $B=0.22$, $C=8$, $D=50$, $E=1$

$140\,\text{cm}$ 이상 $150\,\text{cm}$ 미만인 계급의 도수는 3명, 상
대도수는 0.06이므로

(전체 학생 수)$=\dfrac{3}{0.06}=50$(명) $\therefore D=50$

$A=0.2\times50=10$, $B=\dfrac{11}{50}=0.22$,

$C=0.16\times50=8$

한편, 상대도수의 합은 항상 1이므로 $E=1$

유형 **14** 5명

하루 동안 보내는 문자 메시지 건수가 40건 미만인 계
급의 상대도수의 합이 $0.125+0.25=0.375$이므로

(전체 학생 수)$=\dfrac{15}{0.375}=40$(명)

따라서 하루 동안 보내는 문자 메시지 건수가 30건 미
만인 계급의 학생 수는 $0.125\times40=5$(명)

學 **14** 0.195

$100\,\text{m}$ 달리기 기록이 13초 이상 14초 미만인 계급의
상대도수가 0.055, 학생 수가 11명이므로

(전체 학생 수)$=\dfrac{11}{0.055}=200$(명)

이때, $100\,\text{m}$ 달리기 기록이 15초 이상인 학생이 전체
의 75 %이므로 학생 수는
$0.75\times200=150$(명)

따라서 $100\,\text{m}$ 달리기 기록이 14초 이상 15초 미만인
학생 수는 $200-(150+11)=39$(명)이므로

이 계급의 상대도수는 $\dfrac{39}{200}=0.195$

유형 **15** ⑤

전체 학생 수를 각각 $2a$, $3a$ $(a\neq0)$라 하고, 해당 계
급의 학생 수를 각각 $5b$, $4b$ $(b\neq0)$라 하면 이 계급
의 상대도수의 비는

$\dfrac{5b}{2a}:\dfrac{4b}{3a}=\dfrac{5}{2}:\dfrac{4}{3}=15:8$

學 **15** 3 : 4

1반과 2반의 여학생 수를 각각 $1.5a$명, a명 $(a\neq0)$이
라 하고 상대도수를 각각 $2b$, b $(b\neq0)$라 하자.

이때, (학생 수)$=\dfrac{(\text{여학생 수})}{(\text{여학생의 상대도수})}$이므로

1반과 2반의 학생 수의 비는

$\dfrac{1.5a}{2b}:\dfrac{a}{b}=\dfrac{1.5}{2}:1=3:4$

유형 **16** 0.4

라디오 청취 시간이 3시간 이상 4시간 미만인 계급의
상대도수를 x라 하면
$0.04+0.16+x+0.28+0.12=1$
$\therefore x=1-(0.04+0.16+0.28+0.12)=0.4$

學 **16** 24명

전체 회원 수를 x명이라 할 때, $2.0\,\text{L}$ 이상 $2.5\,\text{L}$ 미만

인 계급의 상대도수는 0.4이므로 이 계급의 회원 수는 $0.4x$이다. 또, $1.0\,\text{L}$ 이상 $1.5\,\text{L}$ 미만인 계급의 상대도수는 0.05이므로 이 계급의 회원 수는 $0.05x$이다.

즉, $0.4x=0.05x+28$이므로 $x=80$

따라서 마시는 물의 양이 $2.5\,\text{L}$ 이상인 회원의 상대도수의 합은 $0.2+0.1=0.3$이므로 회원 수는

$0.3\times80=24$(명)

13 ④

물을 $1.4\,\text{L}$ 이상 $1.8\,\text{L}$ 미만 마시는 학생 수는

$40-(5+12+15+2)=6$(명)

따라서 이 계급의 상대도수는

$\dfrac{6}{40}=0.15$

14 ②

체육 시험 성적이 60점 이상 70점 미만인 계급의 학생 수가 4명, 상대도수가 0.2이므로

(전체 학생 수)$=\dfrac{4}{0.2}=20$(명)

따라서 체육 시험 성적이 80점 이상 90점 미만인 계급의 상대도수는

$\dfrac{7}{20}=0.35$

15 ③

A, B 두 학급의 전체 학생 수를 각각 $5x$명, $3x$명 $(x\neq0)$이라 하고, 해당 계급의 상대도수를 각각 $3y$, $2y$라 하면 이 계급의 도수의 비는

$(5x\times3y):(3x\times2y)=15xy:6xy=5:2$

16 12명

봉사 활동 시간이 8시간 이상 10시간 미만인 계급의 상대도수를 x라 하면 상대도수의 총합은 1이므로

$x=1-(0.15+0.25+0.35+0.05)=0.2$

따라서 이 계급에 속하는 학생 수는

$0.2\times60=12$(명)

생각 ㅇ 6개

(가) $\dfrac{8}{50}=0.16$ (나) $\dfrac{6}{50}=0.12$ (다) $\dfrac{5}{50}=0.1$

(라) $\dfrac{3}{50}=0.06$

따라서 주어진 10개의 성씨 중 전국에서 차지하는 비율보다 우리 반에서 차지하는 비율이 더 높은 성씨는 이(李), 박(朴), 최(催), 강(姜), 장(張), 임(林)으로 6개이다.

생각 ㅇㅇ $\dfrac{9a+11b}{20}$

동원이네 반의 국어 성적이 80점 이상인 학생 수는 $(27\times a)$명, 빈이네 반의 국어 성적이 80점 이상인 학생 수는 $(33\times b)$명이므로 두 반 전체에서 국어 성적이 80점 이상인 학생의 상대도수는

$\dfrac{27\times a+33\times b}{27+33}=\dfrac{27a+33b}{60}=\dfrac{9a+11b}{20}$

생각 ㅇㅇㅇ ㄱ, ㄷ

ㄱ. 시간이 많은 쪽에서 남학생의 상대도수의 분포를 나타낸 그래프가 여학생의 상대도수의 분포를 나타낸 그래프보다 위쪽에 있으므로 남학생이 여학생보다 컴퓨터 사용 시간이 더 많다고 할 수 있다.

ㄴ. 6시간 이상 8시간 미만인 계급의 학생 수는

(여학생)$=200\times0.35=70$(명)

(남학생)$=300\times0.24=72$(명)

즉, 남학생 수가 더 많다.

ㄷ. 여학생과 남학생의 계급의 크기가 같으므로 상대도수의 그래프와 가로축으로 둘러싸인 부분의 넓이는 같다.

따라서 옳은 것은 ㄱ, ㄷ이다.

01 3명

23권보다 많은 책을 읽은 학생 수는 24권, 25권, 28권을 읽은 3명이다.

02 5

소연이네 반 학생 수는 15명이고 평균은 82점이므로
$$\frac{1225+\square}{15}=82,\ 1225+\square=1230$$
$$\therefore \square=5$$

03 여학생

일반적으로 줄기가 큰 쪽의 잎의 수가 더 많은 여학생이 식사하는 데 걸리는 시간이 더 길다.

04 ㉠ 계급의 크기 ㉡ 도수

05 ②, ⑤

① 계급의 크기는 20분이다.

③ $\dfrac{4+2}{30}\times100=\dfrac{6}{30}\times100=20(\%)$

④ 각 학생의 정확한 컴퓨터 이용 시간은 알 수 없다.

⑤ 컴퓨터 이용 시간이 20분 이상 40분 미만인 계급의 도수는 5명, 40분 이상 60분 미만인 계급의 도수는 7명이므로 컴퓨터 이용 시간이 7번 째로 짧은 학생이 속한 계급의 계급값은 50분이다.

06 $A=14$, $B=5$

식사 시간이 20분 이상인 학생이 전체의 20%이므로
$$\frac{B+2}{35}\times100=20 \qquad \therefore B=5$$
$$\therefore A=35-(4+10+5+2)=14$$

07 ②

② 가로축에는 각 계급의 양 끝값을 차례로 표시한다.

08 ③, ⑤

① (전체 학생 수)$=1+3+6+16+12+8+3+1$
$\qquad\qquad\qquad\quad =50$(명)

③ 기록이 14초 이상 16초 미만인 학생 수는
$\quad 3+6=9$(명)

⑤ $\dfrac{8+3+1}{50}\times100=24(\%)$

09 70점 이상 80점 미만

조건 ㈏에서 직사각형의 넓이는 각 계급의 도수에 정비례하므로 직사각형 A, B, C에 해당하는 각 계급의 도수를 x, $3x$, $2x$ $(x\neq0)$라 하면
$10x+100+30x+20x+60=400 \qquad \therefore x=4$
따라서 성적이 좋은 쪽에서 15번째인 학생이 속하는 계급은 70점 이상 80점 미만이다.

10 36%

전체 학생 수는 $1+4+11+7+2=25$(명)이고,
제자리 멀리뛰기 기록이 180 cm 이상인 학생은
$7+2=9$(명)이므로 $\dfrac{9}{25}\times100=36(\%)$

11 43%

1반의 전체 학생 수는 $3+8+10+5+2=28$(명)이

므로 1반 전체의 25%는 $28 \times \dfrac{25}{100}=7$(명)이다.

즉, 1반에서 상위 7번째 학생이 속한 계급은 80점 이상 90점 미만이다.

이때, 2반의 전체 학생 수는 $2+5+9+8+4=28$(명)이고, 80점 이상인 학생이 12명이므로

$\dfrac{12}{28} \times 100=42.857\cdots ≒43$

따라서 1반에서 성적이 상위 25% 이내에 드는 학생의 성적은 2반에서 최대 상위 43% 이내에 든다.

12 ④

(전체 도수)$=\dfrac{13}{0.26}=50$이므로

$a=0.14 \times 50=7$, $b=\dfrac{5}{50}=0.1$

$\therefore a+100b=17$

13 ③

영어 듣기 성적이 18점 이상 20점 미만인 계급의 학생 수가 2명, 상대도수가 0.08이므로

(전체 학생 수)$=\dfrac{2}{0.08}=25$(명)

$\therefore A=\dfrac{12}{25}=0.48$, $B=0.24 \times 25=6$

$\therefore A+B=0.48+6=6.48$

14 B형

각 계급의 상대도수를 구하여 상대도수의 분포표를 만들면 다음과 같다.

혈액형	상대도수	
	여학생	남학생
A형	0.4	0.35
B형	0.2	0.3
AB형	0.15	0.15
O형	0.25	0.2
합계	1	1

따라서 남학생이 여학생보다 상대적으로 많은 혈액형은 B형이다.

15 ②, ⑤

① $0.05 \times 40=2$이므로 4시간 미만인 학생은 2명이다.

② $(0.25+0.15) \times 40=16$이므로 8시간 이상인 학생은 16명이다.

③ 6시간 이상 8시간 미만인 계급의 상대도수는

$1-(0.05+0.20+0.25+0.15)=1-0.65=0.35$

따라서 상대도수가 가장 큰 계급의 계급값은

$\dfrac{6+8}{2}=7$(시간)이다.

④ $0.35+0.25+0.15=0.75$이므로 75%이다.

⑤ 10시간 이상 12시간 미만인 계급의 상대도수는 0.15이므로 봉사 활동 시간이 10시간인 학생은 봉사 활동 시간이 많은 쪽에서 15% 이내에 든다.

16 ㄱ, ㄴ, ㄷ

ㄱ. 10점 이상 12점 미만인 계급의

1학년의 학생 수는 $0.14 \times 250=35$(명)

2학년의 학생 수는 $0.16 \times 200=32$(명)

이므로 1학년이 더 많다.

ㄴ. 12점 이상 14점 미만인 계급의

1학년의 학생 수는 $0.24 \times 250=60$(명)

2학년의 학생 수는 $0.24 \times 200=48$(명)

이므로 이 계급에 속하는 학생 수의 차는

$60-48=12$(명)이다.

ㄷ. 상대도수의 분포를 나타낸 그래프와 가로축으로 둘러싸인 부분의 넓이는 계급의 크기와 같으므로 두 넓이는 서로 같다.

따라서 옳은 것은 ㄱ, ㄴ, ㄷ이다.

17 (1) 10명 (2) 12명 (3) 30%

(1) 60점 이상 70점 미만인 계급의 학생 수는

$40 \times \dfrac{25}{100}=10$(명)

··· [2점]

(2) 70점 이상 80점 미만인 계급의 학생 수는

$40-(2+5+10+8+3)=12$(명)   ··· [2점]

(3) $\dfrac{12}{40} \times 100 = 30(\%)$ ··· [2점]

18 1.2점

여학생의 평균을 x점이라 하면 남학생의 평균은
$(x+2)$점이다.

한편, 남학생 수와 여학생 수의 비가 3 : 2이므로

(남학생 수)$=40 \times \dfrac{3}{5} = 24$(명),

(여학생 수)$=40-24=16$(명)   ··· [5점]

$\therefore$ (전체 학생의 평균)$=\dfrac{16x+24(x+2)}{40}$

$$=\dfrac{40x+48}{40}=x+1.2(점)$$

따라서 전체 학생의 평균은 여학생의 평균보다 1.2점
높다.   ··· [5점]

19 15%

$A=5x$, $B=6x$, $C=x\,(x \neq 0)$라 하면

$1+5x+6x+11+4+x=40$, $12x+16=40$

$\therefore x=2$

$\therefore A=10$, $B=12$, $C=2$ ··· [5점]

따라서 발 크기가 240 mm 이상인 학생 수는
$4+2=6$(명)이므로

$\dfrac{6}{40} \times 100 = 15(\%)$ ··· [5점]

20 40명, 250명

9초 이상 10초 미만인 계급의 1학년 1반의 학생 수는
10명이고, 상대도수는 0.25이므로 1학년 1반의 전체

학생 수는 $\dfrac{10}{0.25}=40$(명)   ··· [5점]

또, 9초 이상 10초 미만인 계급의 1학년 전체 학생 수
는 55명이고, 상대도수는 0.22이므로 1학년 전체 학

생 수는 $\dfrac{55}{0.22}=250$(명)   ··· [5점]

MEMO

개념엔
유형학습

정답과 해설

메가스터디BOOKS

💻 www.megastudybooks.com
📱 1661-5431

개념엔 유형학습

개념엔 유형학습